교과서 GO! 사고력 GO!

GO! 매쓰

Start

교과서 개념

수학 **3**-2

구성과 특징

1 교과서 개념 잡기

교과서 개념을 익힌 다음 개념 Check 또는 개념 Play로 개념을 확인하고 개념 확인 문제를 풀어 보세요.

개념 Check 또는 개념 Play로 개념을 재미있게 확인할 수 있습니다.

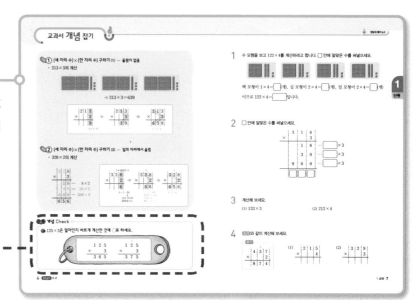

2 교과서 개념 play

개념을 게임으로 학습하면서 집중력을 높여 개념을 익히고 기본을 탄탄하게 만들어요.

재미 UP! 실력 UP!

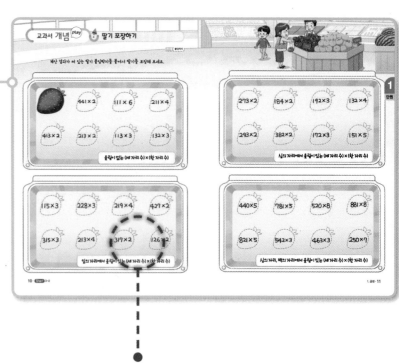

Play 붙임딱지를 활용하여 손잡이를 접어 붙였다 떼었다를 반복하면 하나의 게임도 여러 번 할 수 있습니다.

3 집중! 드릴 문제

각 단원에 꼭 필요한 기초 문제를 반복
하여 풀어 보면 기초력을 향상시킬 수
있어요.

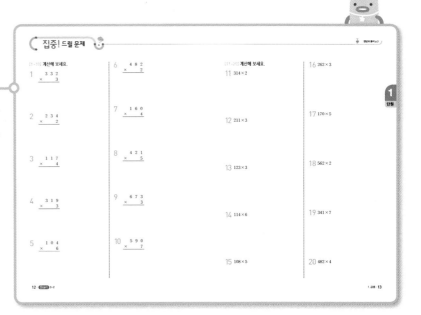

4 교과서 개념 확인 문제

교과서와 익힘책의 다양한 유형의 문제
를 풀어 볼 수 있어요.

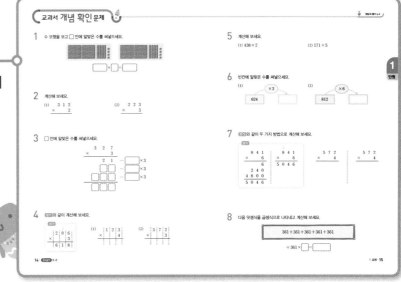

5 개념 확인평가

각 단원의 개념을 잘 이해하였는지 평
가하여 배운 내용을 정리할 수 있어요.

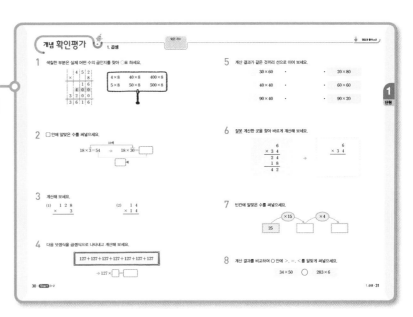

차례

1 곱셈

개념 ① (세 자리 수) × (한 자리 수) 구하기 (1) — 올림이 없음

• 213 × 3의 계산

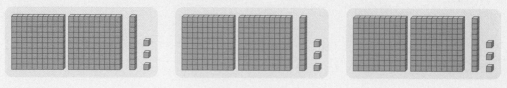

→ 213 × 3 = 639

$$
\begin{array}{r}
2\ 1\ 3 \\
\times \quad\ \ 3 \\
\hline
9
\end{array}
\qquad
\begin{array}{r}
2\ 1\ 3 \\
\times \quad\ \ 3 \\
\hline
3\ 9
\end{array}
\qquad
\begin{array}{r}
2\ 1\ 3 \\
\times \quad\ \ 3 \\
\hline
6\ 3\ 9
\end{array}
$$

3×3=9   1×3=3   2×3=6

개념 ② (세 자리 수) × (한 자리 수) 구하기 (2) — 일의 자리에서 올림

• 328 × 2의 계산

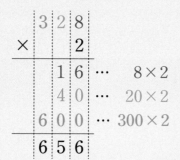

$$
\begin{array}{r}
3\ 2\ 8 \\
\times \qquad 2 \\
\hline
1\ 6 \\
4\ 0 \\
6\ 0\ 0 \\
\hline
6\ 5\ 6
\end{array}
$$

    1 6 … 8 × 2
    4 0 … 20 × 2
  6 0 0 … 300 × 2

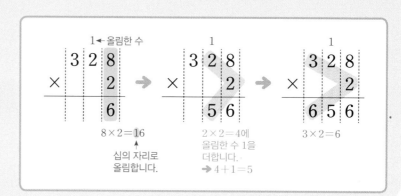

1 ← 올림한 수

8 × 2 = 16
↑
십의 자리로 올림합니다.

2 × 2 = 4에 올림한 수 1을 더합니다.
→ 4 + 1 = 5

3 × 2 = 6

개념 Check

🎓 125 × 3은 얼마인지 바르게 계산한 것에 ◯표 하세요.

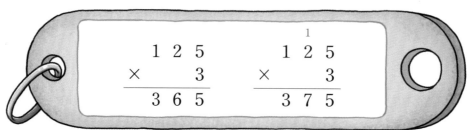

$$
\begin{array}{r}
1\ 2\ 5 \\
\times \quad\ \ 3 \\
\hline
3\ 6\ 5
\end{array}
\qquad
\begin{array}{r}
1 \\
1\ 2\ 5 \\
\times \quad\ \ 3 \\
\hline
3\ 7\ 5
\end{array}
$$

1 수 모형을 보고 122×4를 계산하려고 합니다. ☐ 안에 알맞은 수를 써넣으세요.

백 모형이 $1 \times 4 =$ ☐(개), 십 모형이 $2 \times 4 =$ ☐(개), 일 모형이 $2 \times 4 =$ ☐(개)

이므로 $122 \times 4 =$ ☐ 입니다.

2 ☐ 안에 알맞은 수를 써넣으세요.

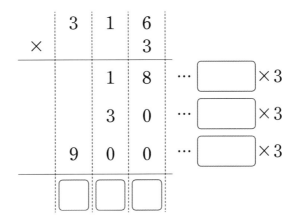

3 계산해 보세요.

(1) 133×3

(2) 212×4

4 보기 와 같이 계산해 보세요.

(1)
```
      2  1  5
 ×          4
```

(2)
```
      3  2  9
 ×          3
```

개념 ③ (세 자리 수) × (한 자리 수) 구하기 (3) ― 십의 자리에서 올림

· 161 × 4의 계산

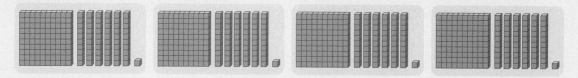

➡ 161 × 4 = 644

$$
\begin{array}{r}
1\ 6\ 1 \\
\times \qquad 4 \\
\hline
4 \quad \cdots \quad 1 \times 4 \\
2\ 4\ 0 \quad \cdots \quad 60 \times 4 \\
4\ 0\ 0 \quad \cdots \quad 100 \times 4 \\
\hline
6\ 4\ 4
\end{array}
$$

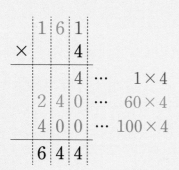

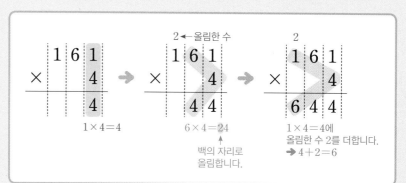

1 × 4 = 4

6 × 4 = 24
백의 자리로 올림합니다.

2 ← 올림한 수

1 × 4 = 4에 올림한 수 2를 더합니다.
➡ 4 + 2 = 6

개념 ④ (세 자리 수) × (한 자리 수) 구하기 (4) ― 십의 자리, 백의 자리에서 올림

· 852 × 3의 계산

$$
\begin{array}{r}
8\ 5\ 2 \\
\times \qquad 3 \\
\hline
6 \quad \cdots \quad 2 \times 3 \\
1\ 5\ 0 \quad \cdots \quad 50 \times 3 \\
2\ 4\ 0\ 0 \quad \cdots \quad 800 \times 3 \\
\hline
2\ 5\ 5\ 6
\end{array}
$$

2 × 3 = 6

5 × 3 = 15
백의 자리로 올림합니다.

1 ← 올림한 수

8 × 3 = 24에 올림한 수 1을 더합니다.
➡ 24 + 1 = 25

개념 Check

🎓 273 × 3은 얼마인지 바르게 계산한 친구를 찾아 ○표 하세요.

$$
\begin{array}{r}
\overset{2}{}\ 2\ 7\ 3 \\
\times \qquad 3 \\
\hline
8\ 1\ 9
\end{array}
$$

$$
\begin{array}{r}
2\ 7\ 3 \\
\times \qquad 3 \\
\hline
6\ 1\ 9
\end{array}
$$

1 수 모형을 보고 □ 안에 알맞은 수를 써넣으세요.

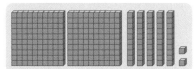 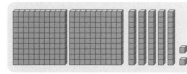 

$$252 \times \boxed{} = \boxed{}$$

2 □ 안에 알맞은 수를 써넣으세요.

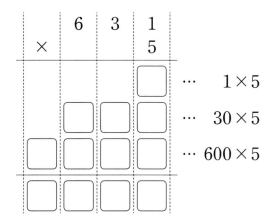

	6	3	1
×			5
			□	··· 1×5
	□	□	□	··· 30×5
□	□	□	□	··· 600×5
□	□	□	□	

3 보기 와 같이 계산해 보세요.

보기

$$\begin{array}{r} \overset{2}{1}\,7\,2 \\ \times\qquad 4 \\ \hline 6\,8\,8 \end{array}$$

(1)
$$\begin{array}{r} 4\,6\,2 \\ \times\qquad 2 \\ \hline \end{array}$$

(2)
$$\begin{array}{r} 2\,9\,3 \\ \times\qquad 3 \\ \hline \end{array}$$

4 계산해 보세요.

(1)
$$\begin{array}{r} 5\,6\,4 \\ \times\qquad 2 \\ \hline \end{array}$$

(2)
$$\begin{array}{r} 3\,4\,1 \\ \times\qquad 6 \\ \hline \end{array}$$

교과서 개념 play 딸기 포장하기

준비물 붙임딱지

계산 결과가 써 있는 딸기 붙임딱지를 붙여서 딸기를 포장해 보세요.

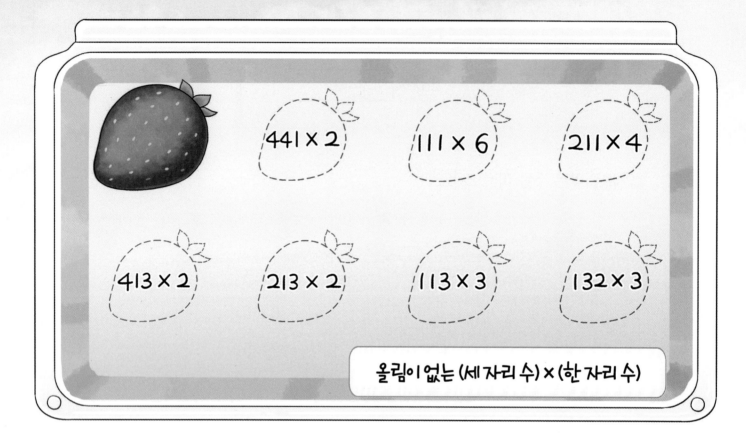

441 × 2   111 × 6   211 × 4

413 × 2   213 × 2   113 × 3   132 × 3

올림이 없는 (세 자리 수) × (한 자리 수)

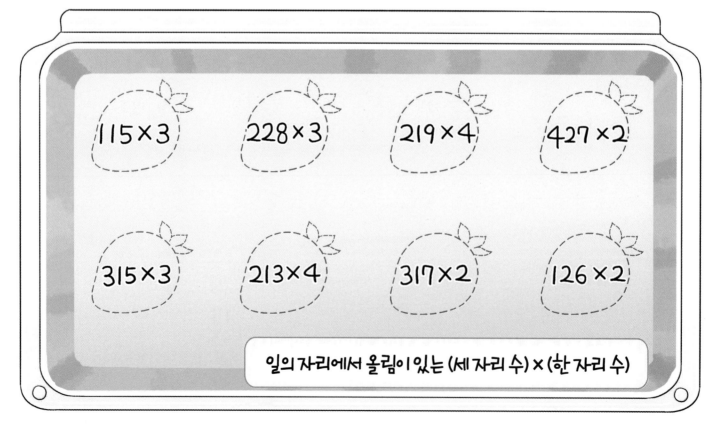

115 × 3   228 × 3   219 × 4   427 × 2

315 × 3   213 × 4   317 × 2   126 × 2

일의 자리에서 올림이 있는 (세 자리 수) × (한 자리 수)

273 × 2   184 × 2   192 × 3   132 × 4

293 × 2   382 × 2   172 × 3   151 × 5

십의 자리에서 올림이 있는 (세 자리 수) × (한 자리 수)

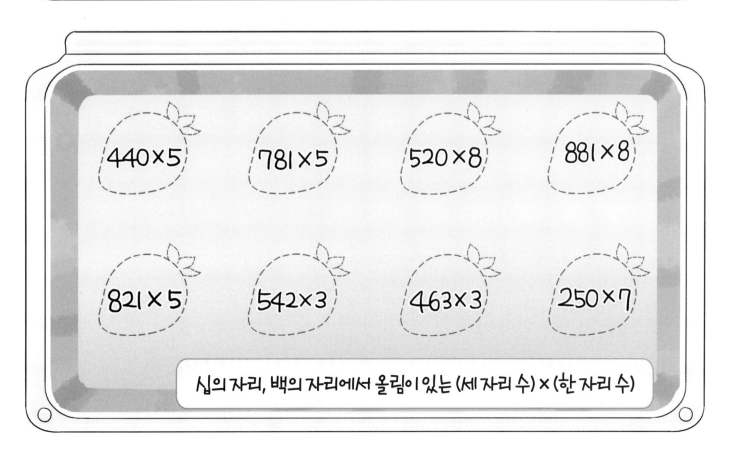

440 × 5   781 × 5   520 × 8   881 × 8

821 × 5   542 × 3   463 × 3   250 × 7

십의 자리, 백의 자리에서 올림이 있는 (세 자리 수) × (한 자리 수)

[1~10] 계산해 보세요.

1
```
    3 3 2
  ×     3
```

2
```
    2 3 4
  ×     2
```

3
```
    1 1 7
  ×     4
```

4
```
    3 1 9
  ×     3
```

5
```
    1 0 4
  ×     6
```

6
```
    4 8 2
  ×     2
```

7
```
    1 6 0
  ×     4
```

8
```
    4 2 1
  ×     5
```

9
```
    6 7 3
  ×     3
```

10
```
    5 9 0
  ×     7
```

[11~20] 계산해 보세요.

11 314 × 2

12 211 × 3

13 123 × 3

14 114 × 6

15 108 × 5

16 262 × 3

17 170 × 5

18 562 × 2

19 341 × 7

20 482 × 4

1 수 모형을 보고 ☐ 안에 알맞은 수를 써넣으세요.

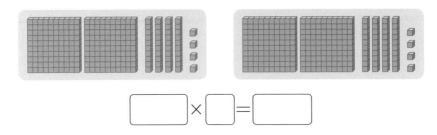

$$\boxed{} \times \boxed{} = \boxed{}$$

2 계산해 보세요.

(1)
```
    3 1 2
  ×     2
```

(2)
```
    2 2 3
  ×     3
```

3 ☐ 안에 알맞은 수를 써넣으세요.

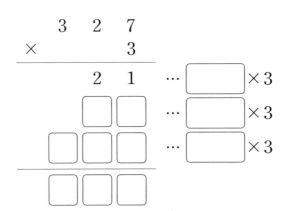

4 보기 와 같이 계산해 보세요.

보기
```
      1
    2 0 6
  ×     3
  ─────────
    6 1 8
```

(1)
```
    1 2 3
  ×     4
```

(2)
```
    5 7 2
  ×     3
```

5 계산해 보세요.

(1) 438×2

(2) 171×5

6 빈칸에 알맞은 수를 써넣으세요.

(1)
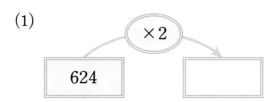

(2)
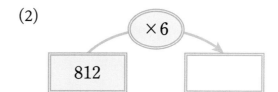

7 보기 와 같이 두 가지 방법으로 계산해 보세요.

보기

```
      8 4 1              2
    ×     6          8 4 1
    -------         ×     6
          6         -------
      2 4 0         5 0 4 6
    4 8 0 0
    -------
    5 0 4 6
```

```
      5 7 2              5 7 2
    ×       4          ×       4
    ---------          ---------
```

8 다음 덧셈식을 곱셈식으로 나타내고 계산해 보세요.

$$361 + 361 + 361 + 361 + 361$$

➜ $361 \times \boxed{} = \boxed{}$

9 <u>잘못</u> 계산한 곳을 찾아 바르게 계산해 보세요.

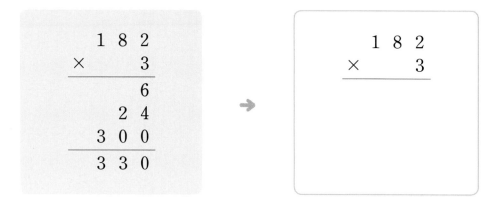

10 빈칸에 알맞은 수를 써넣으세요.

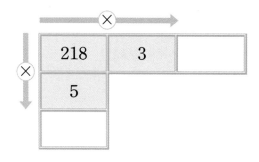

11 계산 결과를 찾아 선으로 이어 보세요.

273 × 2   •   •   384

362 × 4   •   •   546

128 × 3   •   •   1448

12 크기를 비교하여 ◯ 안에 >, =, <를 알맞게 써넣으세요.

(1)   205 × 3   ◯   705

(2)   318 × 5   ◯   1500

1
단원

13 계산을 바르게 한 친구를 찾아 이름을 써 보세요.

채연   329 × 3 = 977

홍기   127 × 5 = 635

지은   542 × 4 = 2068

(   )

14 사탕 1개의 가격은 530원입니다. 똑같은 사탕 7개의 가격은 얼마인지 구해 보세요.

(   )

교과서 **개념** 잡기

개념 ⑤ (몇십) × (몇십), (몇십몇) × (몇십) 구하기

- 40×30의 계산

방법1 40과 30의 3을 먼저 곱한 다음 10을 곱하기

$$40 \times 30 = 40 \times 3 \times 10$$
$$= 120 \times 10 = 1200$$

방법2 40의 4와 30의 3을 먼저 곱한 다음 10을 두 번 곱하기

$$40 \times 30 = 4 \times 3 \times 10 \times 10$$
$$= 12 \times 100 = 1200$$

- 13×20의 계산

방법1 13에 10을 먼저 곱한 다음 2를 곱하기

$$13 \times 20 = 13 \times 10 \times 2$$
$$= 130 \times 2 = 260$$

방법2 13에 2를 먼저 곱한 다음 10을 곱하기

$$13 \times 20 = 13 \times 2 \times 10$$
$$= 26 \times 10 = 260$$

개념 ⑥ (몇) × (몇십몇) 구하기

- 7×23의 계산

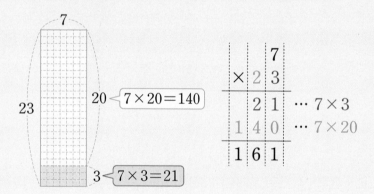

$7 \times 20 = 140$

$7 \times 3 = 21$

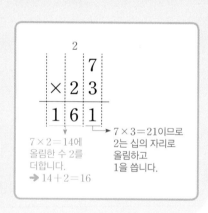

$7 \times 3 = 21$이므로 2는 십의 자리로 올림하고 1을 씁니다.

$7 \times 2 = 14$에 올림한 수 2를 더합니다. → $14 + 2 = 16$

개념 Check

🎓 36×40의 계산 방법을 바르게 나타낸 친구를 찾아 ○표 하세요.

36×40
$= 36 \times 10 \times 30$

36×40
$= 36 \times 4 \times 10$

1 □ 안에 알맞은 수를 써넣으세요.

(1) $70 \times 20 = 70 \times 2 \times 10$
$= 140 \times \boxed{}$
$= \boxed{}$

(2) $30 \times 50 = 3 \times 5 \times 10 \times 10$
$= 15 \times \boxed{}$
$= \boxed{}$

1 단원

2 □ 안에 알맞은 수를 써넣으세요.

(1)

	×	5 3
	4	
	1	5	$\cdots 5 \times \boxed{}$
2	0	0	$\cdots 5 \times \boxed{}$
$\boxed{}$	$\boxed{}$	$\boxed{}$

(2)

	×	5	8 2
	$\boxed{}$	$\boxed{}$	$\cdots 8 \times 2$
$\boxed{}$	$\boxed{}$	$\boxed{}$	$\cdots 8 \times 50$
$\boxed{}$	$\boxed{}$	$\boxed{}$

3 계산해 보세요.

(1) 60×40

(2) 28×30

4 계산해 보세요.

(1)

	4
× 2	3

(2)

	7
× 5	4

개념 7 (몇십몇)×(몇십몇) 구하기 (1) — 올림이 한 번

• 27×13의 계산

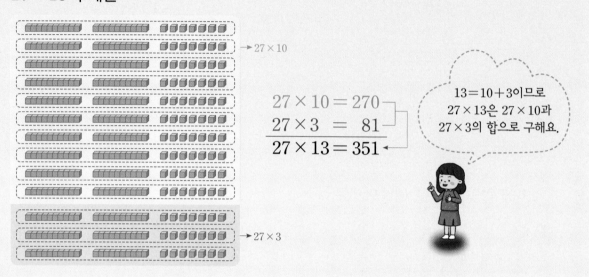

$27 \times 10 = 270$
$27 \times 3 \ = \ 81$
$27 \times 13 = 351$

13=10+3이므로
27×13은 27×10과
27×3의 합으로 구해요.

	2	7	
×	1	3	
		1	

→

	2	7	
×	1	3	
	8	1	

→

	2	7	
×	1	3	
	8	1	
	7	0	

→

	2	7	
×	1	3	
	8	1	
2	7	0	

→

	2	7		
×	1	3		
	8	1	⋯ 27×3
2	7	0	⋯ 27×10
3	5	1		

개념 8 (몇십몇)×(몇십몇) 구하기 (2) — 올림이 여러 번

• 64×25의 계산

64×5와 64×20의 합으로 구합니다.

	6	4
×	2	5

→

	6	4
×	2	5
3	2	0

→

	6	4	
×	2	5	
3	2	0	
1	2	8	0

→

	6	4		
×	2	5		
	3	2	0	⋯ 64×5
1	2	8	0	⋯ 64×20
1	6	0	0	

1 ☐ 안에 알맞은 수를 써넣으세요.

$$24 \times 14 = 24 \times 10 + 24 \times 4$$
$$= 240 + \boxed{}$$
$$= \boxed{}$$

```
        2   4
    ×   1   4
      ┌──┬──┐
      │  │  │
    ┌─┼──┼──┤
    │ │  │  │
    ├─┼──┼──┤
    │ │  │  │
    └─┴──┴──┘
```

2 ☐ 안에 알맞은 수를 써넣으세요.

```
            8   3
        ×   4   5
      ┌──┬──┬──┐
      │  │  │  │  … 83 × ☐
    ┌─┼──┼──┼──┤
    │ │  │  │  │  … 83 × ☐
    ├─┼──┼──┼──┤
    │ │  │  │  │
    └─┴──┴──┴──┘
```

3 계산해 보세요.

(1)
```
      1   9
  ×   1   3
```

(2)
```
      3   7
  ×   4   2
```

4 빈칸에 두 수의 곱을 써넣으세요.

(1)

26	12

(2)

43	69

준비물 ◀ 붙임딱지

계산 결과가 써 있는 달걀 붙임딱지를 붙여서 달걀을 포장해 보세요.

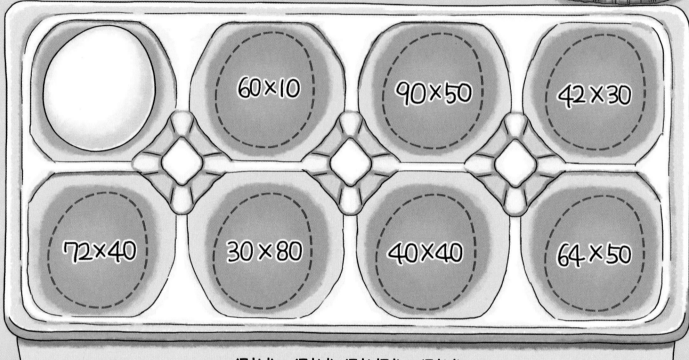

	60×10	90×50	42×30
72×40	30×80	40×40	64×50

(몇십)×(몇십), (몇십몇)×(몇십)

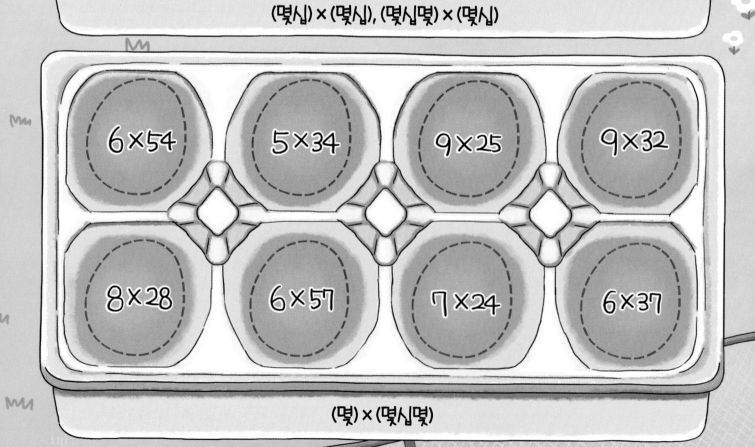

6×54	5×34	9×25	9×32
8×28	6×57	7×24	6×37

(몇)×(몇십몇)

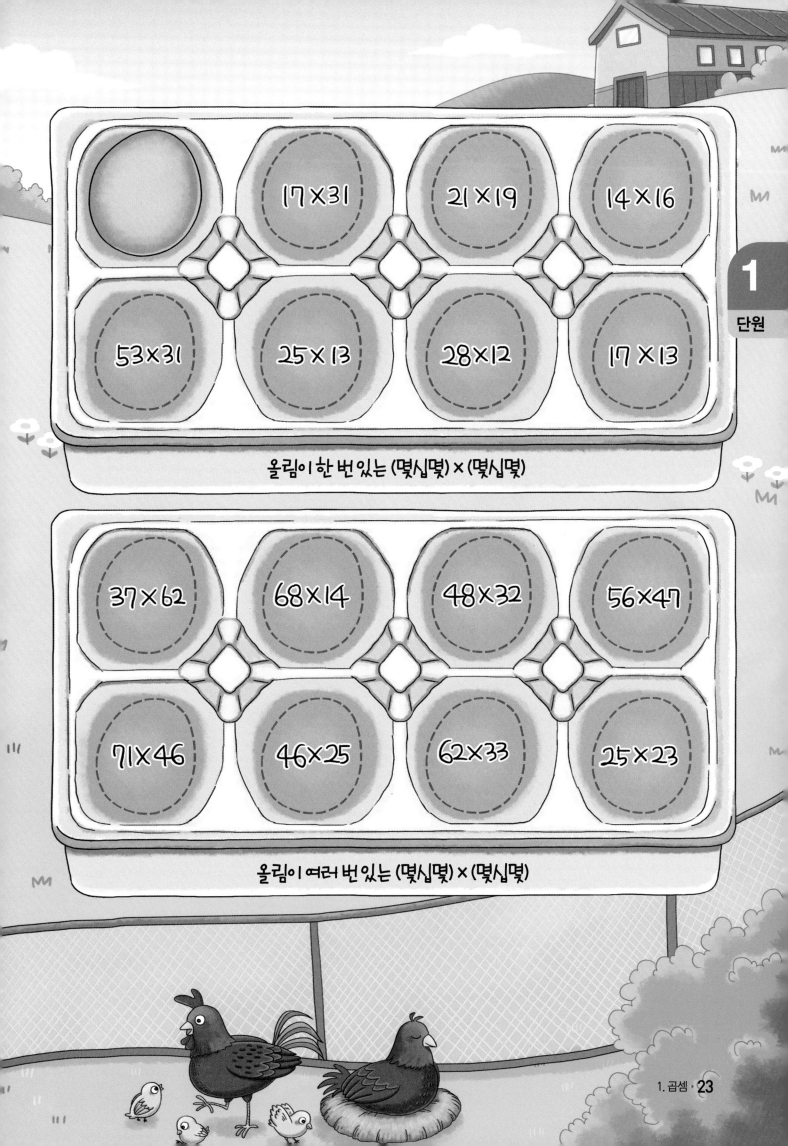

17×31

21×19

14×16

53×31

25×13

28×12

17×13

올림이 한 번 있는 (몇십몇) × (몇십몇)

37×62

68×14

48×32

56×47

71×46

46×25

62×33

25×23

올림이 여러 번 있는 (몇십몇) × (몇십몇)

집중! 드릴 문제

[1~5] 계산해 보세요.

1 20×30

2 50×40

3 60×80

4 56×70

5 74×90

[6~10] 계산해 보세요.

6
$$\begin{array}{r} 3 \\ \times\ 2\ 6 \\ \hline \end{array}$$

7
$$\begin{array}{r} 5 \\ \times\ 4\ 4 \\ \hline \end{array}$$

8
$$\begin{array}{r} 5 \\ \times\ 3\ 6 \\ \hline \end{array}$$

9 4×67

10 2×89

[11~15] 계산해 보세요.

11
```
    1 4
  × 1 5
```

12
```
    3 5
  × 7 1
```

13
```
    2 3
  × 2 8
```

14
```
    4 6
  × 3 4
```

15
```
    2 7
  × 5 5
```

[16~20] 계산해 보세요.

16 24×13

17 27×31

18 18×23

19 25×25

20 62×38

1 ☐ 안에 알맞은 수를 써넣으세요.

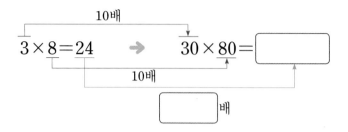

2 계산해 보세요.

(1) 70×50

(2) 17×40

3 43×32를 계산하려고 합니다. ☐ 안에 알맞은 수를 써넣으세요.

$$43 \times 32 = 43 \times 30 + 43 \times \boxed{}$$
$$= \boxed{} + \boxed{}$$
$$= \boxed{}$$

$$
\begin{array}{ccc}
 & 4 & 3 \\
\times & 3 & 2 \\
\hline
 & \boxed{} & \boxed{} \\
\boxed{} & \boxed{} & \boxed{} \\
\hline
\boxed{} & \boxed{} & \boxed{} \\
\end{array}
$$

4 계산해 보세요.

(1)
$$
\begin{array}{cc}
 & 2 \ 3 \\
\times & 1 \ 2 \\
\hline
\end{array}
$$

(2)
$$
\begin{array}{cc}
 & 5 \ 6 \\
\times & 4 \ 5 \\
\hline
\end{array}
$$

5 빈칸에 알맞은 수를 써넣으세요.

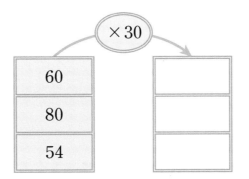

6 빈 곳에 두 수의 곱을 써넣으세요.

(1)
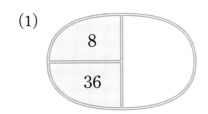

(2)
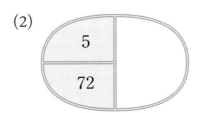

7 잘못 계산한 곳을 찾아 바르게 계산해 보세요.

$$
\begin{array}{r}
4\ 3 \\
\times\ 2\ 7 \\
\hline
3\ 0\ 1 \\
8\ 6\ \\
\hline
3\ 8\ 7
\end{array}
$$

→

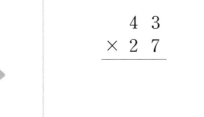

8 다음 중 □ 안에 들어갈 0의 개수가 나머지와 <u>다른</u> 하나를 찾아 기호를 써 보세요.

㉠ 30 × 70 = 21 ☐   ㉡ 80 × 20 = 16 ☐   ㉢ 40 × 50 = 2 ☐

(   )

9 계산 결과를 찾아 선으로 이어 보세요.

45 × 13	•		•	795
53 × 15	•		•	585
37 × 28	•		•	1036

10 50원짜리 동전이 50개 있습니다. 모두 얼마인지 구해 보세요.

(   )

11 삼각형에 적힌 수끼리의 곱을 구해 보세요.

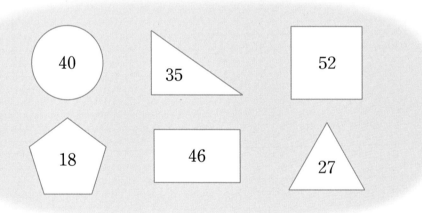

(   )

12 계산 결과가 2000보다 큰 것에 ○표 하세요.

54×37	45×34	42×60
( )	( )	( )

13 계산 결과가 큰 순서대로 기호를 써 보세요.

㉠ 32×32　　㉡ 64×20　　㉢ 40×30

( )

14 연필 1타는 연필이 12자루입니다. 연필 17타는 연필이 몇 자루인지 구해 보세요.

( )

15 윤희는 동화책을 하루에 36쪽씩 읽습니다. 매일 같은 쪽수를 읽는다면 14일 동안 읽는 동화책은 모두 몇 쪽인지 구해 보세요.

( )

개념 확인평가

1. 곱셈

맞은 개수

1 색칠한 부분은 실제 어떤 수의 곱인지를 찾아 ○표 하세요.

$$
\begin{array}{r}
4\ 5\ 2 \\
\times\qquad 8 \\
\hline
1\ 6 \\
4\ 0\ 0 \\
3\ 2\ 0\ 0 \\
\hline
3\ 6\ 1\ 6
\end{array}
$$

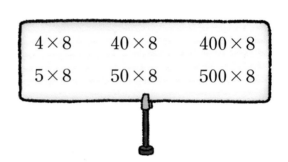

4×8 40×8 400×8

5×8 50×8 500×8

2 ☐ 안에 알맞은 수를 써넣으세요.

10배

$18 \times 3 = 54$ → $18 \times 30 =$ ☐

☐ 배

3 계산해 보세요.

(1)
$$
\begin{array}{r}
1\ 2\ 8 \\
\times\qquad 3 \\
\hline
\end{array}
$$

(2)
$$
\begin{array}{r}
1\ 4 \\
\times\ 1\ 4 \\
\hline
\end{array}
$$

4 다음 덧셈식을 곱셈식으로 나타내고 계산해 보세요.

$$127 + 127 + 127 + 127 + 127 + 127 + 127$$

→ $127 \times$ ☐ $=$ ☐

5 계산 결과가 같은 것끼리 선으로 이어 보세요.

30 × 60 •   • 20 × 80

40 × 40 •   • 60 × 60

90 × 40 •   • 90 × 20

6 <u>잘못</u> 계산한 곳을 찾아 바르게 계산해 보세요.

```
        6
    ×  3  4
    ─────────
        2  4
     1  8
    ─────────
     4  2
```

→

```
        6
    ×  3  4
    ─────────


```

7 빈칸에 알맞은 수를 써넣으세요.

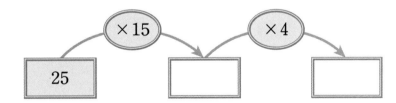

8 계산 결과를 비교하여 ○ 안에 >, =, <를 알맞게 써넣으세요.

34 × 50 ○ 283 × 6

9 계산 결과가 1000보다 작은 곱셈식이 써 있는 로봇에 모두 ○표 하세요.

346 × 3   30 × 30   25 × 40   37 × 22

10 계산 결과가 큰 순서대로 기호를 써 보세요.

ㄱ 359 × 5   ㄴ 487 × 4   ㄷ 526 × 3

(   )

11 다음을 보고 지은이네 학교와 홍기네 학교 학생 수는 모두 몇 명인지 구해 보세요.

우리 학교는 한 학년에 134명씩 6개 학년이 있어.

우리 학교는 한 학년에 127명씩 6개 학년이 있어.

지은   홍기

(   )

2 나눗셈

(학습 계획표)

내용	쪽수	날짜		확인
교과서 **개념** 잡기	34~37쪽	월	일	
교과서 **개념** play / **집중!** 드릴 문제	38~41쪽	월	일	
교과서 **개념 확인** 문제	42~45쪽	월	일	
교과서 **개념** 잡기	46~49쪽	월	일	
교과서 **개념** play / **집중!** 드릴 문제	50~53쪽	월	일	
교과서 **개념 확인** 문제	54~57쪽	월	일	
개념 확인평가	58~60쪽	월	일	

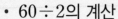 **1** (몇십)÷(몇) 구하기 (1) — 내림이 없는 (몇십)÷(몇)

· 60÷2의 계산

▸ 색종이 6묶음을 똑같이 2묶음으로 나누면
6÷2=3(묶음)씩 나누어집니다.

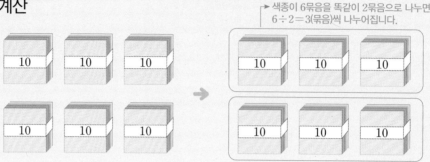

내림이 없는 (몇십)÷(몇)의 몫은 (몇)÷(몇)의 몫에 0을 1개 붙여 줍니다.

$$6÷2=3 \rightarrow 60÷2=30$$

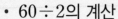 **2** (몇십)÷(몇) 구하기 (2) — 내림이 있는 (몇십)÷(몇)

· 60÷5의 계산

십 모형 1개는 일 모형
10개로 바꿀 수 있습니다.

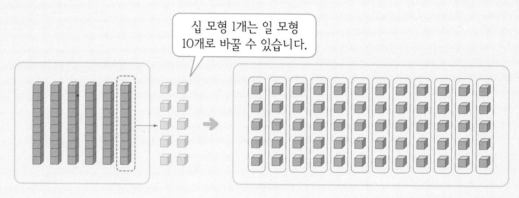

십 모형 6개를 일 모형 60개로 바꿔서 5개씩 묶어 보면 12번 묶을 수 있습니다.

$$\rightarrow 60÷5=12$$

개념 Check

📖 연필 60자루를 3명이 똑같이 나누어 가지려고 합니다. 한 명이 몇 자루씩 가져야 하는지
바르게 말한 친구를 찾아 ○표 하세요.

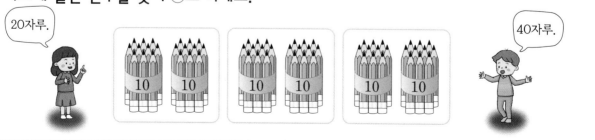

1 90÷3을 어떻게 계산하는지 알아보세요.

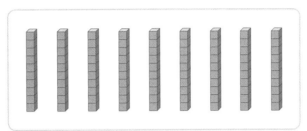

(1) 수 모형을 똑같이 3묶음으로 묶어 보세요.

(2) 한 묶음에는 십 모형 ☐개가 있습니다. ➡ 90÷3=☐

2 십 모형 3개를 일 모형 30개로 바꾸었습니다. 일 모형을 2개씩 묶어 30÷2의 몫을 구해 보세요.

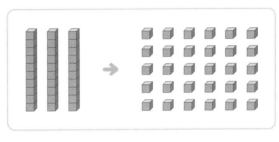

30÷2=☐

3 ☐ 안에 알맞은 수를 써넣으세요.

(1) 4÷4=☐ ➡ 40÷4=☐   (2) 8÷4=☐ ➡ 80÷4=☐

4 계산해 보세요.

(1) 40÷2   (2) 60÷6

(3) 70÷2   (4) 80÷5

개념 ③ (몇십몇)÷(몇) 구하기 (1) — 내림이 없고 나머지가 없는 (몇십몇)÷(몇)

• 46÷2의 계산

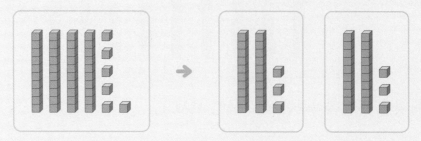

수 모형을 2묶음으로 똑같이 나누면 한 묶음에는 십 모형 2개, 일 모형 3개가 있습니다. ➡ 46÷2=23

나눗셈식을 세로로 쓰는 방법

$$46 \div 2 = 23 \rightarrow 2\overline{)4\ 6}$$

몫 / 몫 / 나누는 수 / 나누어지는 수

개념 ④ (몇십몇)÷(몇) 알아보기 (2) — 내림이 있고 나머지가 없는 (몇십몇)÷(몇)

• 45÷3의 계산

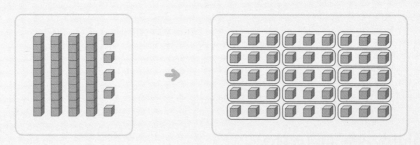

십 모형을 모두 일 모형으로 바꿔서 3개씩 묶어 보면 15번 묶을 수 있습니다.

➡ 45÷3=15

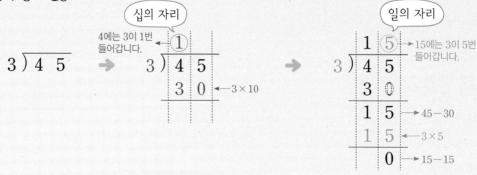

십의 자리 / 일의 자리

4에는 3이 1번 들어갑니다.

$$3\overline{)4\ 5}$$

15에는 3이 5번 들어갑니다.

3×10 / 45−30 / 3×5 / 15−15

1 36÷3을 어떻게 계산하는지 알아보세요.

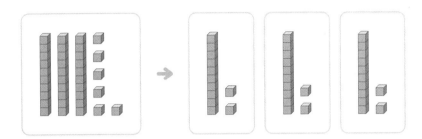

(1) 수 모형을 3묶음으로 똑같이 나누면 한 묶음에는 십 모형 ☐개, 일 모형 ☐개가 있습니다.

(2) 36÷3=☐

2 ☐ 안에 알맞은 수를 써넣으세요.

(1) 66÷6=11 ➤ ☐)☐
☐

(2) 64÷4=16 ➤ ☐)☐
☐

3 ☐ 안에 알맞은 수를 써넣으세요.

(1)
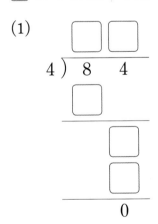

(2)
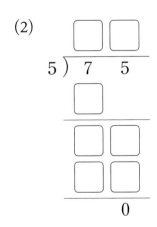

4 계산해 보세요.

(1)
2) 4 8

(2) 72÷3

준비물 붙임딱지

만두판에 나눗셈에 알맞은 몫이 써 있는 고기만두와 김치만두를 붙여
만두를 쪄 보세요.

$40 \div 2$

$48 \div 2$

$60 \div 4$

$60 \div 6$

$66 \div 3$

$69 \div 3$

$80 \div 5$

$77 \div 7$

$99 \div 3$

$96 \div 3$

$60 \div 5$

$28 \div 2$

$39 \div 3$

$84 \div 4$

$90 \div 2$

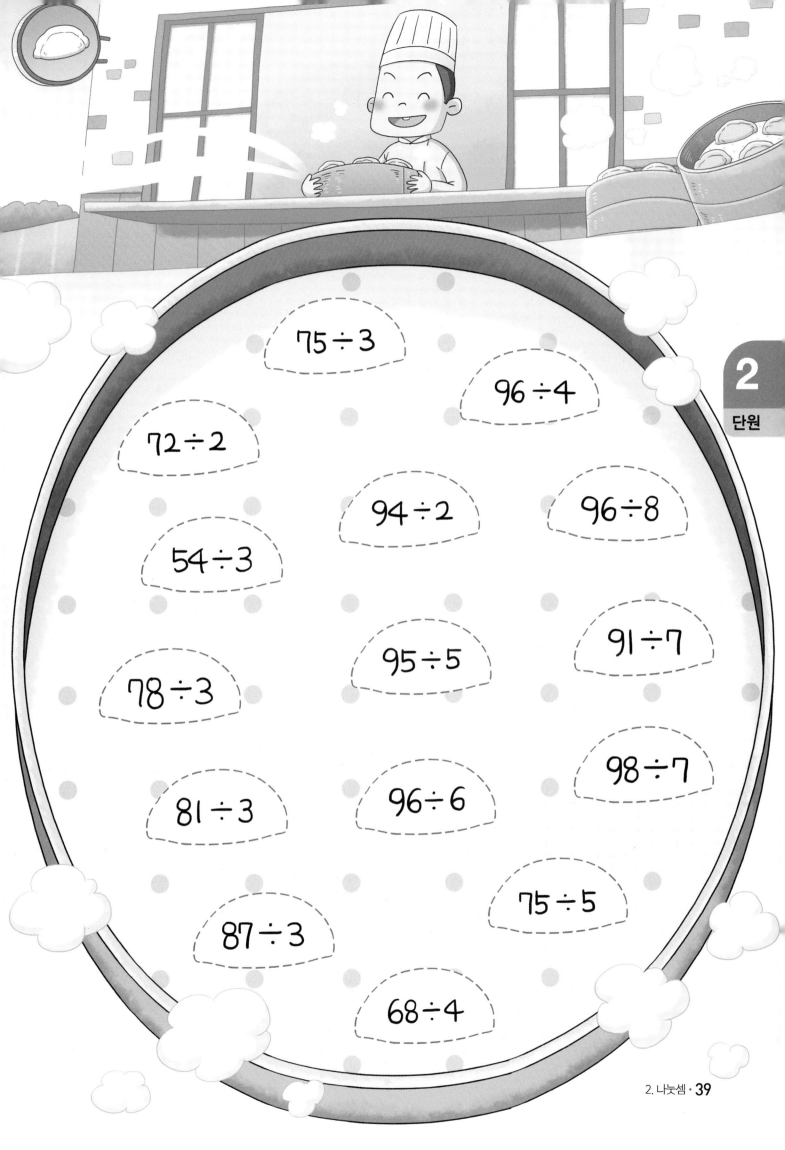

$75 \div 3$

$96 \div 4$

$72 \div 2$

$94 \div 2$

$96 \div 8$

$54 \div 3$

$95 \div 5$

$91 \div 7$

$78 \div 3$

$98 \div 7$

$81 \div 3$

$96 \div 6$

$75 \div 5$

$87 \div 3$

$68 \div 4$

집중! 드릴 문제

[1~6] ☐ 안에 알맞은 수를 써넣으세요.

1   $8 \div 2 = \boxed{} \rightarrow 80 \div 2 = \boxed{}$

2   $9 \div 9 = \boxed{} \rightarrow 90 \div 9 = \boxed{}$

3   $4 \div 2 = \boxed{} \rightarrow 40 \div 2 = \boxed{}$

4   $5 \div 5 = \boxed{} \rightarrow 50 \div 5 = \boxed{}$

5   $7 \div 7 = \boxed{} \rightarrow 70 \div 7 = \boxed{}$

6   $6 \div 2 = \boxed{} \rightarrow 60 \div 2 = \boxed{}$

[7~12] 계산해 보세요.

7   $60 \div 4$

8   $70 \div 5$

9   $90 \div 6$

10 $50 \div 2$

11 $60 \div 5$

12 $90 \div 5$

[13~18] 계산해 보세요.

13 $84 \div 2$

14 $69 \div 3$

15 $48 \div 4$

16
$$3 \overline{)3\ 9}$$

17
$$6 \overline{)6\ 6}$$

18
$$2 \overline{)8\ 8}$$

[19~24] 계산해 보세요.

19 $57 \div 3$

20 $34 \div 2$

21 $92 \div 4$

22
$$4 \overline{)7\ 6}$$

23
$$3 \overline{)5\ 1}$$

24
$$7 \overline{)9\ 8}$$

2
단원

1 수 모형을 보고 ☐ 안에 알맞은 수를 써넣으세요.

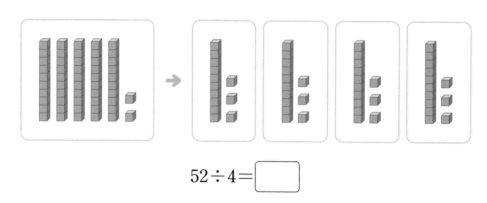

$$52 \div 4 = \boxed{}$$

2 ☐ 안에 알맞은 수를 써넣으세요.

$$77 \div 7 = \boxed{} \rightarrow \boxed{}\overline{)\boxed{}}^{\boxed{}}$$

3 빈칸에 알맞은 수를 써넣으세요.

$$62 \rightarrow \boxed{\div 2} \rightarrow \boxed{}$$

4 ☐ 안에 알맞은 수를 써넣으세요.

(1)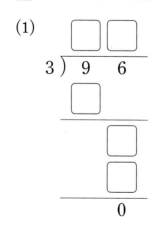

(2)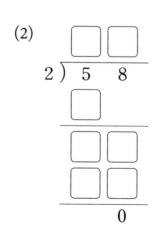

5 나눗셈의 몫을 찾아 선으로 이어 보세요.

90÷5 •   • 16

64÷4 •   • 13

78÷6 •   • 18

6 빈칸에 알맞은 수를 써넣으세요.

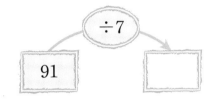

91

7 빈칸에 알맞은 수를 써넣으세요.

96	3	
32	2	
84	7	

8 몫의 크기를 비교하여 ○ 안에 >, =, <를 알맞게 써넣으세요.

56÷4   90÷6

9 잘못 계산한 곳을 찾아 바르게 계산해 보세요.

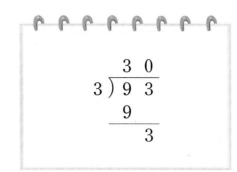

$$3 \overline{\smash{)}\ 9 \ 3}$$

10 몫이 같은 것끼리 선으로 이어 보세요.

38÷2 •   • 42÷2

63÷3 •   • 57÷3

11 몫이 다른 하나를 찾아 기호를 써 보세요.

> ㉠ 45÷3   ㉡ 64÷4
> ㉢ 30÷2   ㉣ 75÷5

(   )

12 큰 수를 작은 수로 나눈 몫을 구해 보세요.

(1)
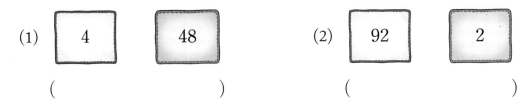
| 4 | 48 |

(   )

(2)
| 92 | 2 |

(   )

2 단원

13 몫이 30보다 큰 것을 찾아 ○표 하세요.

69÷3   88÷8   92÷4   70÷2

14 딸기 36개를 2명이 똑같이 나누어 먹으려고 합니다. 한 명이 먹을 수 있는 딸기는 몇 개인지 식을 쓰고 답을 구해 보세요.

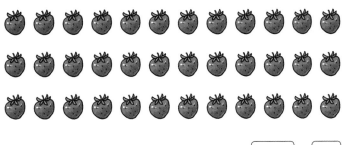

식   ☐ ÷ ☐ = ☐

답   ☐ 개

개념 ⑤ 나머지가 있는 (몇십몇)÷(몇) 구하기 (1)

- 13÷4의 계산

13을 4로 나누면 몫은 3이고 1이 남습니다.
이때 1을 13÷4의 나머지라고 합니다.

$$13 \div 4 = 3 \cdots 1$$

나머지가 없으면 나머지가 0이라고 말할 수 있습니다.
나머지가 0일 때, 나누어떨어진다고 합니다.

```
나누는 수
   ↓           3 ← 몫
  4 ) 1  3  ← 나누어지는 수
      1  2
         1 ← 나머지
```

개념 ⑥ 나머지가 있는 (몇십몇)÷(몇) 구하기 (2)

- 64÷5의 계산

```
        2
        1  0  ╲12
     5 ) 6  4
5×10 →  5  0
        1  4
5×2 →   1  0
           4
```
→
```
        1  2
     5 ) 6  4
        5
        1  4
        1  0
           4
```
→ 64÷5=12···4

몫
나머지

개념 Check

🎓 클립 25개를 한 명당 4개씩 나누어 주려고 합니다. 몇 명에게 나누어 줄 수 있고, 몇 개가 남는지 바르게 말한 친구를 찾아 ◯표 하세요.

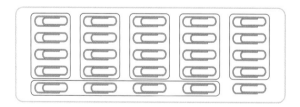

6명에게 나누어 줄 수 있고, 1개가 남습니다.

4명에게 나누어 줄 수 있고, 5개가 남습니다.

1 나눗셈식을 보고 ☐ 안에 알맞은 말을 써넣으세요.

$$27 \div 4 = 6 \cdots 3$$

27을 4로 나누면 ☐ 은/는 6이고 3이 남습니다.

이때 3을 $27 \div 4$의 ☐ (이)라고 합니다.

2 $35 \div 2$를 어떻게 계산하는지 알아보세요.

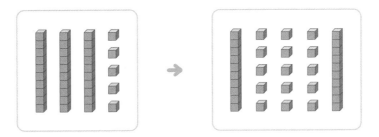

(1) 위의 오른쪽 수 모형을 2묶음으로 똑같이 나누어 보세요.

(2) 한 묶음에는 십 모형 ☐ 개, 일 모형 ☐ 개가 있고, 남은 일 모형은 ☐ 개입니다.

(3) $35 \div 2 =$ ☐ $\cdots$ ☐

3 ☐ 안에 알맞은 수를 써넣으세요.

```
          ☐
   5 ) 2   9
       ☐   ☐
          4
```

4 나눗셈의 몫과 나머지를 구해 보세요.

$$49 \div 5$$

몫 (   )

나머지 (   )

개념 ⑦ **(세 자리 수)÷(한 자리 수) 구하기**

• 520÷4의 계산 − 나머지가 없는 경우

▸ 몫의 일의 자리를
꼭 써야 합니다.

```
    1              1 3              1 3 0
4 ) 5 2 0      4 ) 5 2 0       4 ) 5 2 0
    4 ←4×1          4                4
    1              1 2 ←2를 내려 쓰기    1 2
                   1 2 ←4×3            1 2
                     0 ←12-12            0
```

> 52÷4의 나눗셈 뒤에 0을 하나 더 붙여 계산하는 것과 같습니다.

• 406÷5의 계산 − 나머지가 있는 경우

```
                   8                 8 1
5 ) 4 0 6      5 ) 4 0 6       5 ) 4 0 6
                   4 0 ←5×8          4 0
                     0                 6 ←6을 내려 쓰기
                                       5 ←5×1
                                       1 ←6-5
```

백의 자리에서는
나누지 못해요.

> 백의 자리에서 4를 5로 나눌 수 없으므로 십의 자리에서 40을 5로 나누고 6을
> 내려 쓴 후 5로 나눕니다.

개념 ⑧ **계산이 맞는지 확인하기**

• 19÷5의 계산 확인하기

$$19 \div 5 = 3 \cdots 4$$

$$5 \times 3 = 15, \ 15 + 4 = 19$$

나누는 수와 몫의 곱에 나머지를 더하면 나누어지는 수가 되어야 합니다.

1 ☐ 안에 알맞은 수를 써넣으세요.

(1)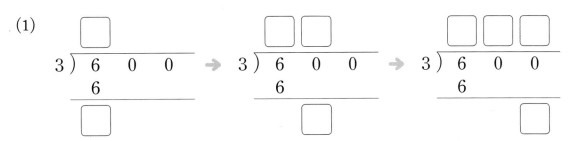

(2)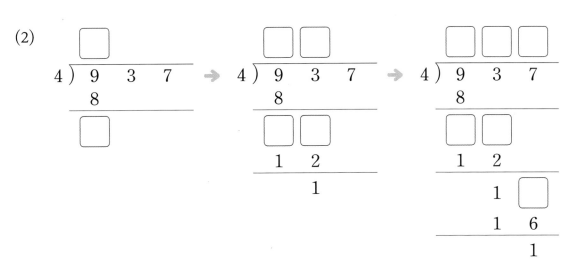

2 나눗셈을 보고 계산 결과가 맞는지 확인해 보세요.

$$56 \div 6 = 9 \cdots 2$$

확인 $6 \times \boxed{} = \boxed{}$, $\boxed{} + 2 = 56$

3 ☐ 안에 알맞은 수를 써넣으세요.

(1) $375 \div 5 = \boxed{}$

(2) $721 \div 3 = \boxed{} \cdots \boxed{}$

4 계산해 보고 계산 결과가 맞는지 확인해 보세요.

$$37 \div 9 = \boxed{} \cdots \boxed{}$$

확인 $9 \times \boxed{} = \boxed{}$, $\boxed{} + 1 = 37$

준비물 붙임딱지

소풍을 가기 위해 김밥과 유부초밥을 만들었습니다. 알맞은 단무지와 햄을 붙여 김밥과
유부초밥을 완성해 보세요.

960 ÷ 4 =
□ … □

547 ÷ 3 =
□ … □

408 ÷ 6 =
□ … □

718 ÷ 9 =
□ … □

161 ÷ 7 =
□ … □

683 ÷ 8 =
□ … □

929 ÷ 8 =
□ … □

410 ÷ 7 =
□ … □

394 ÷ 4 =
□ … □

723 ÷ 7 =
□ … □

720 ÷ 3 =
□ … □

382 ÷ 5 =
□ … □

집중! 드릴 문제

[1~6] 계산해 보세요.

1 $33 \div 6$

2 $26 \div 7$

3 $61 \div 9$

4 $5 \overline{)3\ 6}$

5 $2 \overline{)1\ 7}$

6 $9 \overline{)2\ 9}$

[7~12] 계산해 보세요.

7 $87 \div 5$

8 $37 \div 2$

9 $95 \div 4$

10 $4 \overline{)5\ 7}$

11 $6 \overline{)9\ 2}$

12 $7 \overline{)8\ 6}$

[13~18] 계산해 보세요.

13 $972 \div 4$

14 $995 \div 7$

15 $395 \div 2$

16
$$6 \overline{)900}$$

17
$$5 \overline{)641}$$

18
$$3 \overline{)794}$$

[19~22] 계산해 보고 계산 결과가 맞는지 확인해 보세요.

19 $73 \div 4$

확인

20 $94 \div 6$

확인 _____ , _____

21
$$5 \overline{)84}$$

확인 _____ , _____

22
$$7 \overline{)96}$$

확인 _____ , _____

교과서 개념 확인 문제

1 수 모형을 보고 ☐ 안에 알맞은 수를 써넣으세요.

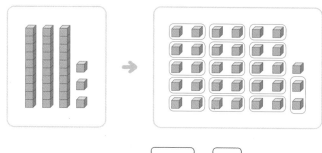

$$33 \div 2 = \boxed{} \cdots \boxed{}$$

2 계산해 보세요.

(1)

$$4 \overline{\smash{)}\, 8\ 5}$$

(2)

$$3 \overline{\smash{)}\, 4\ 0}$$

3 나눗셈을 하여 ☐ 안에는 몫을, ◯ 안에는 나머지를 써넣으세요.

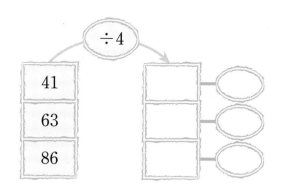

4 나누어떨어지는 나눗셈을 찾아 ◯표 하세요.

$$3 \overline{\smash{)}\, 2\ 6} \qquad\qquad 5 \overline{\smash{)}\, 2\ 5} \qquad\qquad 9 \overline{\smash{)}\, 3\ 9}$$

(   )   (   )   (   )

5 □ 안에 알맞은 수를 써넣으세요.

(1)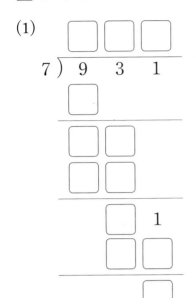

(2)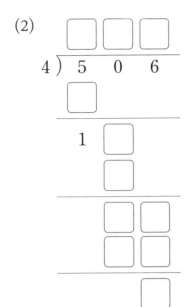

6 나머지가 더 큰 식의 기호를 써 보세요.

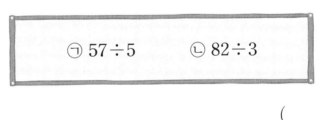

(   )

7 어떤 수를 6으로 나누었을 때 나머지가 될 수 <u>없는</u> 수에 ×표 하세요.

| 0 | 1 | 2 | 3 | 4 | 5 | 6 |

8 빈칸에 알맞은 수를 써넣으세요.

	÷ →	몫	나머지
742	3		
633	5		

9 나눗셈을 바르게 계산한 것에 ○표 하세요.

```
      5 0 4
   6 ) 3 2 4
       3 0
       ────
         2 4
         2 4
       ────
           0
```

(   )

```
        5 4
   6 ) 3 2 4
       3 0
       ────
         2 4
         2 4
       ────
           0
```

(   )

10 도넛 34개를 한 접시에 4개씩 담으려고 합니다. 접시는 몇 개 필요하고, 남은 도넛은 몇 개인지 구해 보세요.

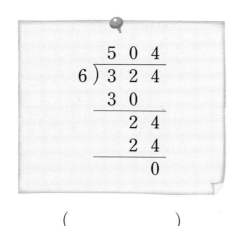

(   ), (   )

11 계산해 보고 계산 결과가 맞는지 확인해 보세요.

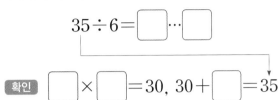

$$35 \div 6 = \boxed{} \cdots \boxed{}$$

확인 $\boxed{} \times \boxed{} = 30,\ 30 + \boxed{} = 35$

12 몫이 더 큰 것에 ○표 하세요.

$731 \div 7$	$563 \div 4$
( )	( )

13 계산해 보고 계산 결과가 맞는지 확인해 보세요.

(1)
$$6 \overline{)\,8\ 8}$$

확인 _____ , _____

(2)
$$3 \overline{)\,5\ 0}$$

확인 _____ , _____

14 구슬 263개를 4명에게 똑같이 나누어 주려고 합니다. 구슬을 한 사람에게 몇 개씩 나누어 줄 수 있고, 몇 개가 남는지 식을 쓰고 답을 구해 보세요.

식 $\boxed{} \div \boxed{} = \boxed{} \cdots \boxed{}$

답 한 사람에게 $\boxed{}$ 개씩 나누어 줄 수 있고, $\boxed{}$ 개가 남습니다.

1 수 모형을 보고 ☐ 안에 알맞은 수를 써넣으세요.

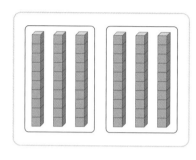

$$60 \div 2 = \boxed{}$$

2 ☐ 안에 알맞은 수를 써넣으세요.

(1)
```
      3 ☐
  3 ) 9  6
      9  0   ← 3 × ☐
    ─────
      ☐
      ☐       ← 3 × ☐
    ─────
         0
```

(2)
```
      1 ☐
  4 ) 6  4
    ☐   0     ← 4 × ☐
    ─────
    2 ☐
    ☐ ☐       ← 4 × ☐
    ─────
         0
```

3 나눗셈식을 바르게 설명한 사람이 누구인지 찾아 이름을 써 보세요.

$$210 \div 4 = 52 \cdots 2$$

몫은 60보다 작구나.

나누는 수는 4, 나누어지는 수는 52야.

나머지는 4보다 커.

은주   현빈   효진

210÷4=52…2

(   )

4 잘못 계산한 곳을 찾아 바르게 계산해 보세요.

 ➡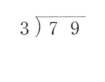

5 몫의 크기를 비교하여 ○ 안에 >, =, <를 알맞게 써넣으세요.

(1) 70÷2 ○ 50÷2

(2) 80÷5 ○ 90÷2

6 몫이 가장 큰 것을 찾아 ○표 하세요.

60÷3	70÷7	90÷3
( )	( )	( )

7 나머지가 5가 될 수 없는 나눗셈을 모두 찾아 ×표 하세요.

□÷4	□÷9	□÷6	□÷5
( )	( )	( )	( )

8 나눗셈의 몫이 <u>다른</u> 한 사람을 찾아 이름을 써 보세요.

채연
$24 \div 2$

수찬
$36 \div 3$

홍기
$55 \div 5$

( )

9 나눗셈의 나머지가 가장 큰 것을 찾아 기호를 써 보세요.

㉠ $32 \div 6$	㉡ $73 \div 8$
㉢ $47 \div 7$	㉣ $33 \div 5$

( )

10 나눗셈을 보고 계산 결과가 맞는지 확인해 보세요.

$$31 \div 4 = 7 \cdots 3$$

확인 _____ ,

11 공책 84권을 3상자에 똑같이 나누어 담으려고 합니다. 한 상자에 공책을 몇 권씩 담을
수 있는지 구해 보세요.

( )

3 원

개념 ① 원의 중심, 반지름, 지름

· 원 그리기

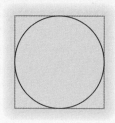 →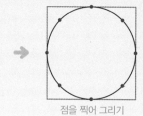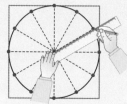

점을 찍어 그리기 　자로 점을 찍어 그리기 　누름 못과 띠 종이를 이용하여 그리기

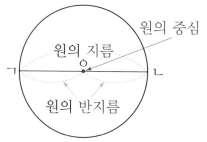

누름 못이 꽂힌 점에서 원 위의 한 점까지의 길이는 모두 같습니다. 원을 그릴 때에 누름 못이 꽂혔던 점 ㅇ을 원의 중심이라고 합니다.
원의 중심 ㅇ과 원 위의 한 점을 이은 선분을 원의 반지름이라고 합니다. 또, 원 위의 두 점을 이은 선분이 원의 중심 ㅇ을 지날 때, 이 선분을 원의 지름이라고 합니다.
선분 ㅇㄱ과 선분 ㅇㄴ은 원의 반지름이고, 선분 ㄱㄴ은 원의 지름입니다.

· 원의 반지름
① 한 원에 반지름을 무수히 많이 그을 수 있습니다.
② 한 원에서 원의 반지름은 모두 같습니다.

· 원의 지름
① 한 원에 지름을 무수히 많이 그을 수 있습니다.
② 한 원에서 원의 지름은 모두 같습니다.

개념 Check

원에 지름을 바르게 그은 것을 찾아 ○표 하세요.

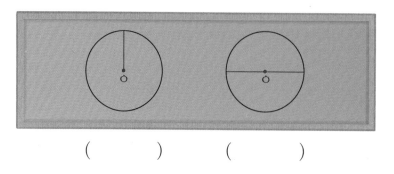

(　　) 　　 (　　)

1 원의 중심을 찾아 • 으로 표시하였습니다. 원의 중심을 바르게 찾은 것에 ○표 하세요.

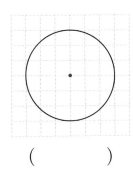 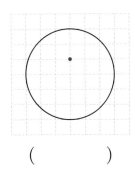 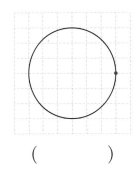

(   )   (   )   (   )

2 ☐ 안에 알맞은 말을 써넣으세요.

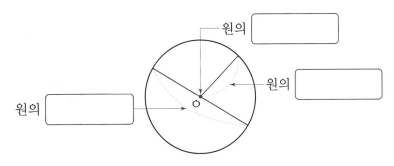

원의 [   ]

원의 [   ]

원의 [   ]

3 원의 지름을 나타내는 선분을 모두 찾아 ○표 하세요.

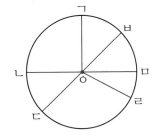

선분 ㄱㅇ   선분 ㄴㅁ
선분 ㄷㅇ   선분 ㄹㅇ
선분 ㅁㅇ   선분 ㅂㄷ

4 원에 반지름을 2개씩 그어 보세요.

(1)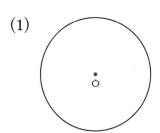

(2)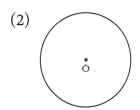

3

단원

3. 원 · **63**

개념 ② 원의 성질 알아보기

원의 성질 1 원의 지름은 원을 둘로 똑같이 나눕니다.

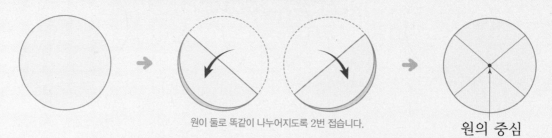

원이 둘로 똑같이 나누어지도록 2번 접습니다.

원의 중심

원의 성질 2 원의 지름은 원 안에 그을 수 있는 가장 긴 선분입니다.

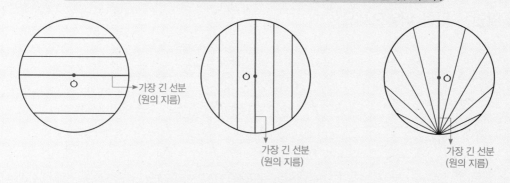

가장 긴 선분
(원의 지름)

가장 긴 선분
(원의 지름)

가장 긴 선분
(원의 지름)

원의 성질 3 한 원에서 지름은 반지름의 2배입니다.
(한 원에서 반지름은 지름의 반입니다.)

원의
반지름   반지름
원의 지름

☆ (원의 지름) = (원의 반지름) × 2

☆ (원의 반지름) = (원의 지름) ÷ 2

개념 Check

🎓 한 원에서 지름과 반지름의 관계를 바르게 설명한 친구를 찾아 ○표 하세요.

지름은
반지름의
2배입니다.

반지름은
지름의
2배입니다.

1 ☐ 안에 알맞은 말을 써넣으세요.

원의 ☐ 은/는 원을 둘로 똑같이 나눕니다.

2 그림을 보고 알맞은 기호를 써 보세요.

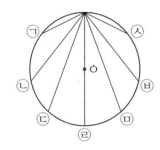

(1) 길이가 가장 긴 선분은 어느 것일까요?

(   )

(2) 원의 지름은 어느 선분일까요?

(   )

3 단원

[3~4] 선분의 길이를 재어 ☐ 안에 알맞은 수를 써넣으세요.

3
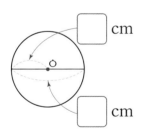
☐ cm

☐ cm

4
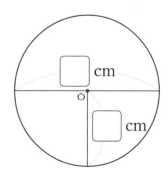
☐ cm

☐ cm

5 위의 3, 4를 보고 원의 반지름과 지름의 관계를 쓴 것입니다. ☐ 안에 알맞은 수를 써 넣으세요.

> 한 원에서 지름은 반지름의 ☐ 배입니다.

준비물 붙임딱지

알맞은 바퀴를 붙여 자전거를 완성해 보세요.

반지름이
3 cm인
바퀴

지름이
10 cm인
바퀴

반지름이
8 cm인
바퀴

반지름이
4 cm인
바퀴

지름이
2 cm인
바퀴

지름이
12 cm인
바퀴

반지름이
2 cm인
바퀴

지름이
14 cm인
바퀴

반지름이
2.5 cm인
바퀴

지름이
8 cm인
바퀴

지름이
6 cm인
바퀴

반지름이
6 cm인
바퀴

지름이
18 cm인
바퀴

지름이
4 cm인
바퀴

반지름이
10 cm인
바퀴

지름이
16 cm인
바퀴

반지름이
5 cm인
바퀴

반지름이
7 cm인
바퀴

집중! 드릴 문제

[1~4] 원의 중심을 찾아 써 보세요.

1
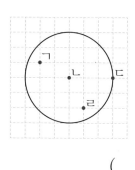

( )

2
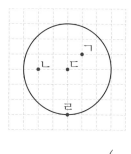

( )

3
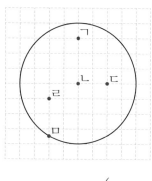

( )

4
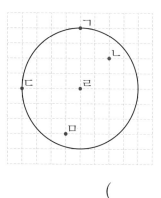

( )

[5~8] 원의 반지름을 찾아 써 보세요.

5
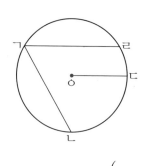

( )

6
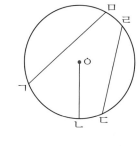

( )

7
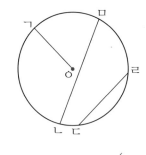

( )

8
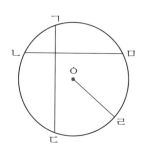

( )

[9~12] 원의 지름을 찾아 써 보세요.

9

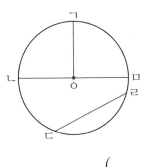

( )

10

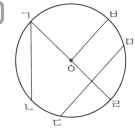

( )

11

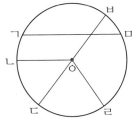

( )

12

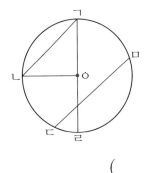

( )

[13~16] 원에 지름을 2개씩 그어 보세요.

13

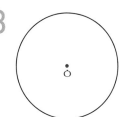

14

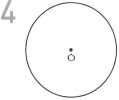

15

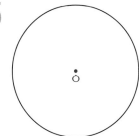

16

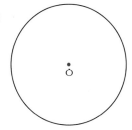

3

단원

1 원의 중심을 찾아 써 보세요.

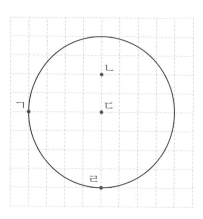

(   )

2 원의 반지름을 나타내는 선분을 찾아 써 보세요.

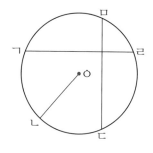

(   )

3 다음 원의 지름은 몇 cm인지 써 보세요.

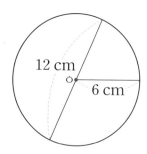

12 cm

6 cm

(   )

[4~5] ☐ 안에 알맞은 수를 써넣으세요.

4
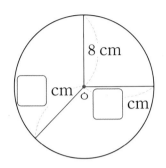

5
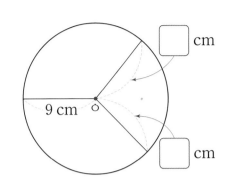

[6~7] ☐ 안에 알맞은 수를 써넣으세요.

6
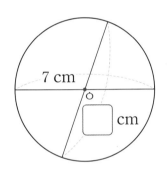

7
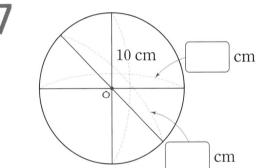

[8~9] 원에 반지름을 2개씩 그어 보세요.

8
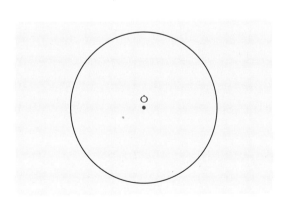

9
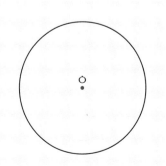

[10~11] 원에 지름을 2개씩 그어 보세요.

10
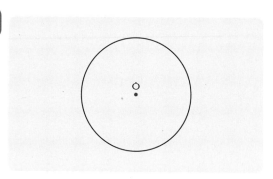

11
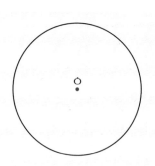

12 한 원에서 원의 중심은 몇 개일까요? ·················· (   )

① 1개   ② 2개   ③ 3개
④ 10개   ⑤ 셀 수 없이 많습니다.

13 한 원에 그을 수 있는 반지름은 몇 개일까요? ·············· (   )

① 1개   ② 2개   ③ 3개
④ 10개   ⑤ 셀 수 없이 많습니다.

14 그림을 보고 ☐ 안에 알맞은 수를 써넣으세요.

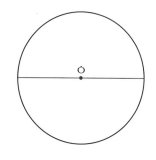
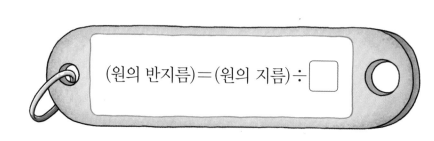

(원의 반지름)＝(원의 지름)÷☐

[15~16] 원의 지름은 몇 cm인지 구해 보세요.

15

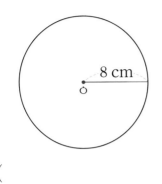

(   )

16

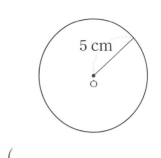

(   )

[17~18] 원의 반지름은 몇 cm인지 구해 보세요.

17

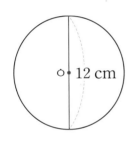

(   )

18

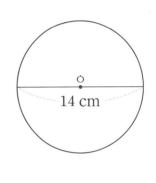

(   )

19 수찬이가 말한 원의 지름은 몇 cm인지 구해 보세요.

원 안에 가장 긴 선분을 긋고
길이를 재어 보니 40 cm였어.

수찬

(   )

교과서 개념 잡기

개념 ③ 컴퍼스를 이용하여 원 그리기

• 컴퍼스를 이용하여 반지름이 3 cm인 원 그리기

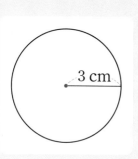

3 cm

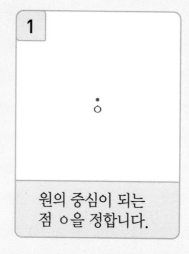

1 원의 중심이 되는 점 ㅇ을 정합니다.

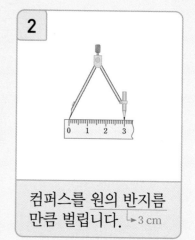

2 컴퍼스를 원의 반지름 만큼 벌립니다. ↳3 cm

크기가 같은 원을 그리려면 원의 중심과 반지름의 길이를 알아야 합니다.

➡ 크기가 같은 원은 반지름의 길이가 모두 같습니다.

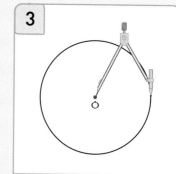

3 컴퍼스의 침을 점 ㅇ에 꽂고 원을 그립니다.

올바른 컴퍼스 이용법

컴퍼스의 침을 수직으로 꽂을 수 있도록 컴퍼스의 손잡이를 적당히 꺾어 자연스럽게 돌립니다. 이때 연필도 수직으로 닿을 수 있도록 적당히 꺾어 줍니다.

개념 Check

🎓 컴퍼스를 4 cm가 되도록 벌린 것을 찾아 ○표 하세요.

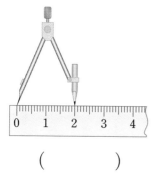

(   )

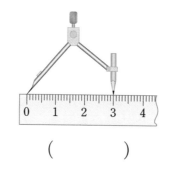

(   )

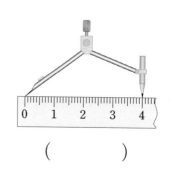

(   )

1 컴퍼스를 이용하여 반지름이 5 cm인 원을 그리려고 합니다. 컴퍼스를 바르게 벌린 것을 찾아 기호를 써 보세요.

가   나

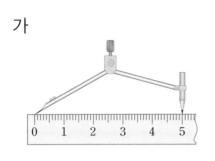 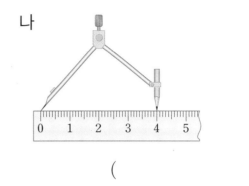

(   )

2 다음과 같이 컴퍼스를 벌려 원을 그렸습니다. 그린 원의 반지름은 몇 cm일까요?

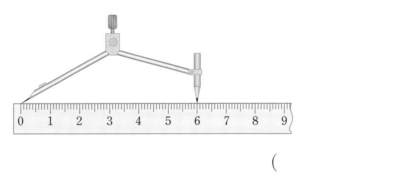

(   )

3 순서에 따라 반지름이 2 cm인 원을 그려 보세요.

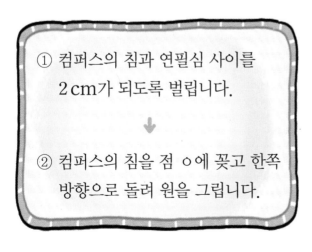

① 컴퍼스의 침과 연필심 사이를 2 cm가 되도록 벌립니다.

↓

② 컴퍼스의 침을 점 ㅇ에 꽂고 한쪽 방향으로 돌려 원을 그립니다.

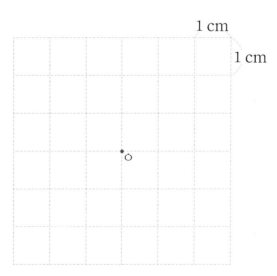

1 cm

1 cm

개념 **4** 원을 이용하여 여러 가지 모양 그리기

• 다양한 크기의 원 그리기

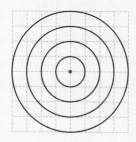

원의 중심이 모두 같습니다.

반지름이 모눈 1칸씩 늘어납니다.

• 규칙을 찾아 원 그리기

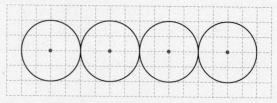

원의 중심은 오른쪽으로 모눈 4칸씩 이동하였습니다.

반지름이 모두 모눈 2칸입니다.

• 똑같이 그리기

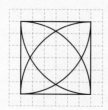

그리는 방법

정사각형을 그리고, 정사각형의 꼭짓점을 원의 중심으로 하는 원의 일부분을 4개 그립니다.

이때 원의 반지름은 정사각형의 한 변과 같습니다.

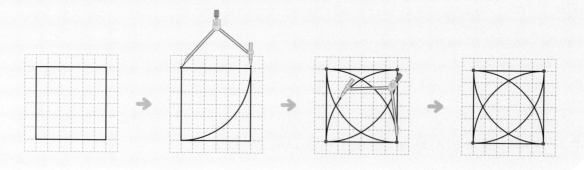

개념 Check

 다음 모양을 보고 바르게 말한 친구를 찾아 ○표 하세요.

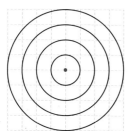

원의 반지름이 변하지 않았습니다.

원의 중심이 변하지 않았습니다.

1 주어진 모양을 그리기 위하여 컴퍼스의 침을 꽂아야 할 곳에 모두 • 표시를 하세요.

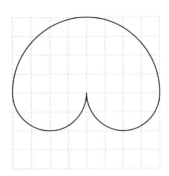

2 원 5개를 규칙에 따라 그렸습니다. 어떤 규칙인지 ☐ 안에 알맞은 수를 써넣으세요.

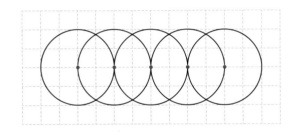

규칙 원의 중심은 오른쪽으로 모눈

☐ 칸씩 이동하였습니다.

반지름이 모두 모눈 ☐ 칸입니다.

3 주어진 모양과 똑같이 그리고 ☐ 안에 알맞은 수를 써넣으세요.

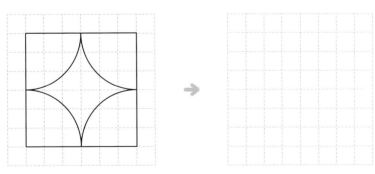

정사각형을 그리고, 정사각형의 꼭짓점을 원의 중심으로 하는 원의 일부분을

☐ 개 그립니다.

이때 원의 지름은 정사각형의 한 변과 같습니다.

주어진 모양과 똑같이 그려서 벽을 예쁘게 꾸며 보세요.

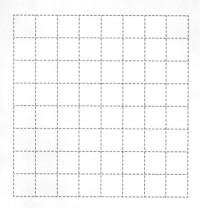 ←

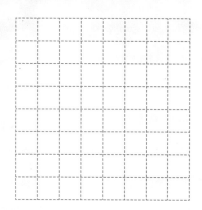 ←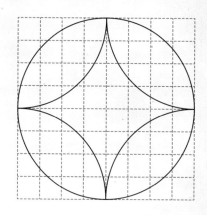

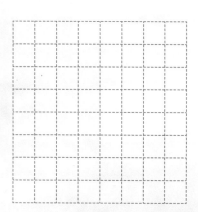 ←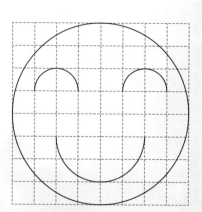

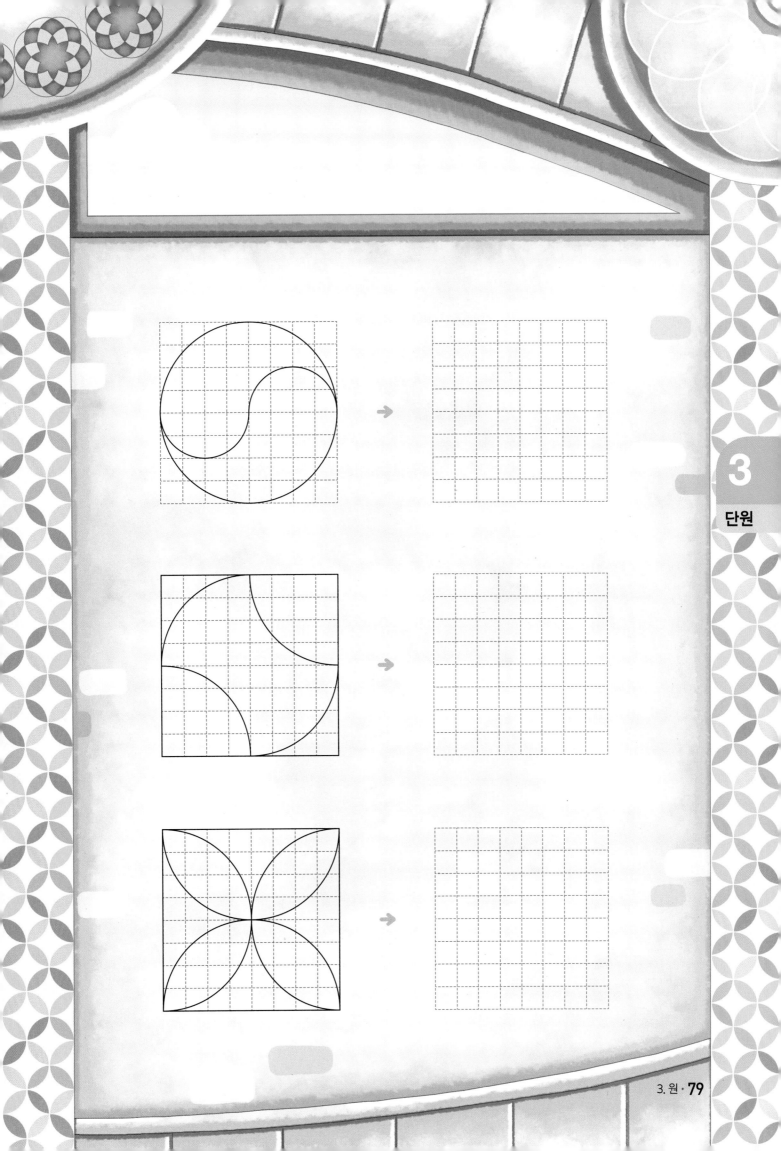

[1~3] 컴퍼스를 이용하여 원을 그리려고 합니다. 컴퍼스를 바르게 벌린 것을 찾아 ○표 하세요.

1 반지름이 2 cm인 원을 그릴 때

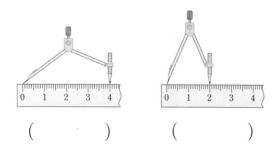

(   )   (   )

2 반지름이 4 cm인 원을 그릴 때

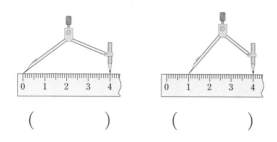

(   )   (   )

3 반지름이 3 cm 5 mm인 원을 그릴 때

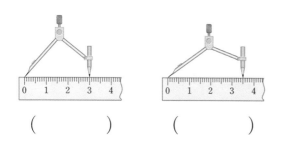

(   )   (   )

[4~6] 점 ㅇ을 원의 중심으로 하고 반지름이 다음과 같은 원을 그려 보세요.

4 반지름이 1 cm인 원

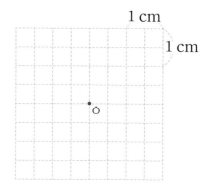

5 반지름이 2 cm인 원

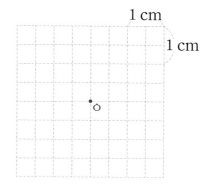

6 반지름이 1 cm 5 mm인 원

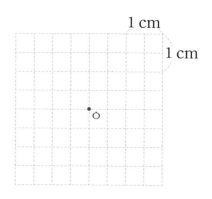

[7~10] 주어진 모양을 그리기 위하여 컴퍼스의 침을 꽂아야 할 곳에 모두 • 표시를 하세요.

7

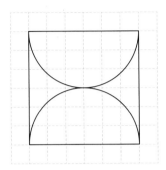

8

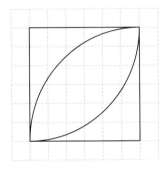

9

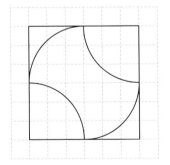

10

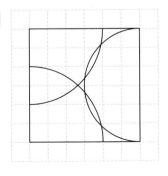

[11~14] 원의 중심을 옮겨 가며 그린 모양에 ○표, 원의 중심을 옮기지 않고 그린 모양에 △표 하세요.

11

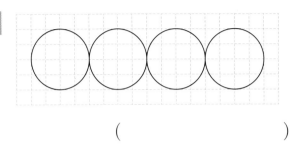

(   )

12

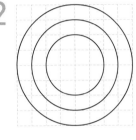

(   )

13

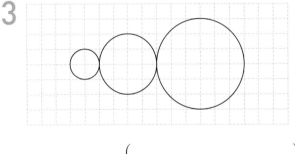

(   )

14

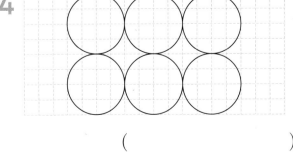

(   )

3

단원

교과서 개념 확인 문제

1

컴퍼스를 5 cm가 되도록 벌린 것을 찾아 기호를 써 보세요.

ㄱ
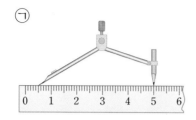

ㄴ
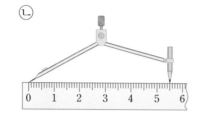

ㄷ
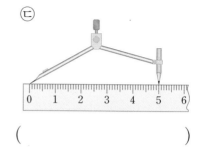

(   )

2

컴퍼스를 이용하여 반지름이 4 cm인 원을 그리는 순서입니다. ☐ 안에 알맞게 써넣으세요.

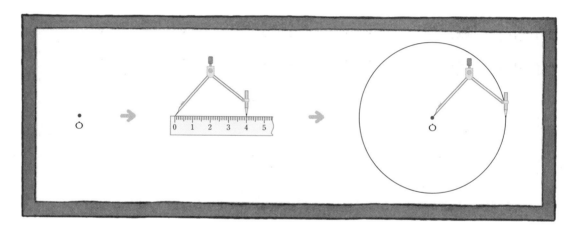

① 컴퍼스의 침과 연필심 사이를 ☐ cm가 되도록 벌립니다.

② 컴퍼스의 침을 점 ☐ 에 꽂고 원을 그립니다.

3

주어진 모양을 그리기 위하여 컴퍼스의 침을 꽂아야 할 곳에 모두 • 표시를 하세요.

(1)
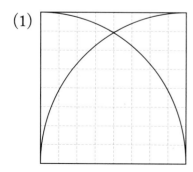

(2)
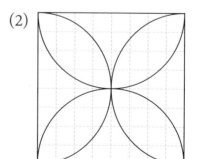

4 다음 모양을 그리기 위하여 컴퍼스의 침을 꽂아야 할 곳은 모두 몇 군데인지 구해 보세요.

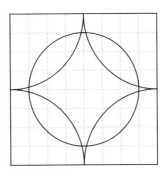

(   )

5 컴퍼스를 이용하여 지름이 6 cm인 원을 그리려고 합니다. 컴퍼스의 침과 연필심 사이를 몇 cm만큼 벌려야 하는지 써 보세요.

(   )

6 반지름이 1 cm인 원과 반지름이 3 cm인 원을 각각 1개씩 그려 보세요.

1 cm
1 cm

7 컴퍼스를 이용하여 반지름이 1.5 cm인 원을 그려 보세요.

8 컴퍼스를 이용하여 주어진 선분을 반지름으로 하는 원을 그려 보세요.

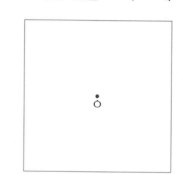

9 주어진 모양과 똑같이 그려 보세요.

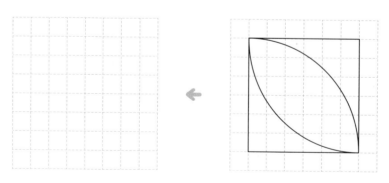

[10~11] 원 4개를 규칙에 따라 그렸습니다. 물음에 답하세요.

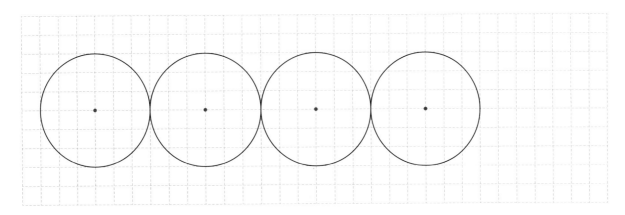

10 원 4개를 그린 규칙을 알아보려고 합니다. ☐ 안에 알맞은 수를 써넣으세요.

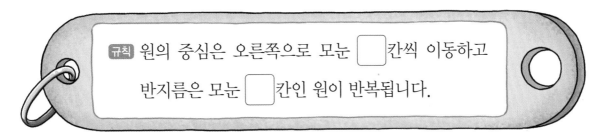

규칙 원의 중심은 오른쪽으로 모눈 ☐칸씩 이동하고 반지름은 모눈 ☐칸인 원이 반복됩니다.

11 규칙에 따라 원을 1개 더 그려 보세요.

12 그림을 보고 규칙을 찾아 원을 1개 더 그려 보세요.

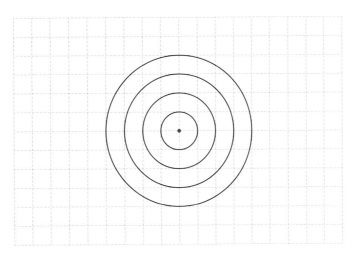

1 ☐ 안에 알맞은 말을 써넣으세요.

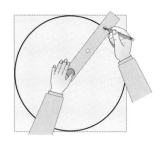

누름 못과 띠 종이를 이용하여 원을 그릴 때 누름 못이 꽂혔던 점을 원의 [   ](이)라고 합니다.

또, 누름 못이 꽂혔던 점과 띠 종이에 연필을 넣은 구멍을 이은 선분을 원의 [   ](이)라고 합니다.

2 오른쪽 원에서 반지름을 나타내는 선분을 모두 찾아 써 보세요.

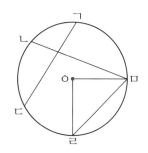

(   ),
(   )

3 원에 지름을 3개 그어 보세요.

[4~5] ☐ 안에 알맞은 수를 써넣으세요.

4

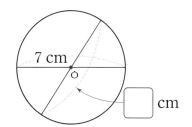

7 cm

[   ] cm

5

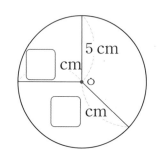

5 cm

[   ] cm

[   ] cm

[6~7] ☐ 안에 알맞은 수를 써넣으세요.

6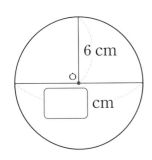

6 cm

☐ cm

7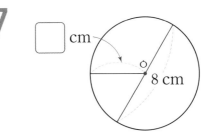

☐ cm

8 cm

[8~9] 다음 모양을 그리기 위하여 컴퍼스의 침을 꽂아야 하는 곳은 모두 몇 군데인지 구해 보세요.

8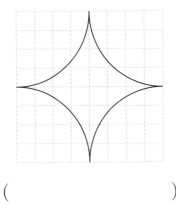

(   )

9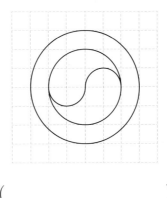

(   )

10 다음과 같이 컴퍼스를 벌려 원을 그렸습니다. 그린 원의 지름은 몇 cm인지 써 보세요.

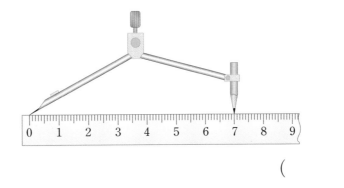

(   )

11 컴퍼스를 이용하여 지름이 4 cm인 원을 그려 보세요.

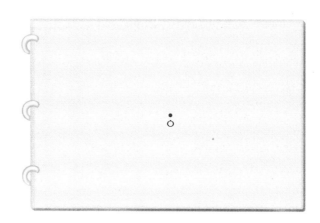

12 주어진 모양과 똑같이 그려 보세요.

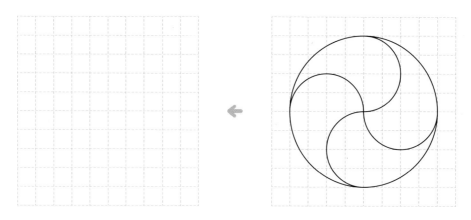

13 그림과 같이 원들이 맞닿도록 모눈종이에 반지름을 1칸씩 늘려 가며 차례로 원을 2개 더 그려 보세요.

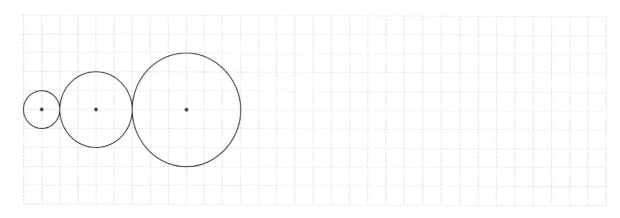

4 분수

개념 **1** 분수로 나타내기

- 전체 6개를 똑같이 2부분으로 나누기

부분 [○○○] 은 전체 [○○○○○○] 를 똑같이 2부분으로 나눈 것 중의 1입니다.

따라서 부분 [○○○] 은 **2**묶음 중에서 **1**묶음이므로 전체의 $\frac{1}{2}$입니다.

- 전체 6개를 똑같이 3부분으로 나누기

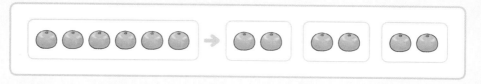

부분 [○○] [○○] 은 전체 [○○○○○○] 를 똑같이 3부분으로 나눈 것 중의 2입니다.

따라서 부분 [○○] [○○] 은 **3**묶음 중에서 **2**묶음이므로 전체의 $\frac{2}{3}$입니다.

'전체'는 '분모'에, '부분'은 '분자'에 표현하므로
$\dfrac{(부분\ 묶음\ 수)}{(전체\ 묶음\ 수)}$ 와 같이 나타낼 수 있어요.

개념 Check

색칠한 부분을 분수로 바르게 나타낸 친구를 찾아 ○표 하세요.

 $\frac{1}{2}$  $\frac{1}{4}$

1 바둑돌 8개를 똑같이 나누고 □ 안에 알맞은 수를 써넣으세요.

(1) 전체 8개를 똑같이 4부분으로 나누어 보세요.

(2) 부분  은 전체  를 똑같이 4부분으로 나눈 것 중의

□ 이므로 전체의 $\dfrac{□}{□}$ 입니다.

2 색칠한 부분을 분수로 나타내어 보세요.

(1)

$\dfrac{□}{□}$

(2)

$\dfrac{□}{□}$

3 그림을 보고 □ 안에 알맞은 수를 써넣으세요.

(1)

12를 3씩 묶으면 □묶음이 됩니다.

6은 12의 $\dfrac{□}{□}$ 입니다.

(2)

10을 2씩 묶으면 □묶음이 됩니다.

8은 10의 $\dfrac{□}{□}$ 입니다.

개념 ② 분수만큼은 얼마인지 알아보기

- 9의 $\frac{1}{3}$을 알아보기 – 자연수의 분수만큼 알아보기

① 지우개 9개를 똑같이 3묶음으로 나눕니다.

② 1묶음에는 지우개가 3개 있습니다.
└▶3묶음 중 1묶음의 수

➡ 9의 $\frac{1}{3}$은 3입니다.

- 8 cm의 $\frac{3}{4}$을 알아보기 – 길이의 분수만큼 알아보기

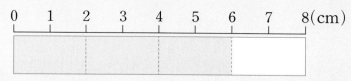

8 cm의 종이띠를 4부분으로 똑같이 나누고 $\frac{3}{4}$만큼을 색칠합니다.

색칠한 부분의 길이는 6 cm이므로 8 cm의 $\frac{3}{4}$은 6 cm입니다.
└▶4부분 중 3부분의 길이

전체의 $\frac{\blacktriangle}{\blacksquare}$는 전체를 ■묶음으로
똑같이 나누었을 때의 ▲묶음이에요.

🎮 **개념 Check** ○

📧 6의 $\frac{1}{2}$은 얼마인지 바르게 말한 친구를 찾아 ◯표 하세요.

6의 $\frac{1}{2}$은 2입니다.

6의 $\frac{1}{2}$은 3입니다.

1 10의 $\frac{1}{5}$은 얼마인지 알아보려고 합니다. 물음에 답하세요.

(1) 호두 10개를 5묶음으로 똑같이 나누어 보세요.

(2) 전체의 $\frac{1}{5}$만큼을 색칠해 보세요.

(3) 10의 $\frac{1}{5}$은 ☐입니다.

2 그림을 보고 ☐ 안에 알맞은 수를 써넣으세요.

(1) 12의 $\frac{1}{4}$은 ☐입니다.

(2) 12의 $\frac{3}{4}$은 ☐입니다.

3 그림을 보고 ☐ 안에 알맞은 수를 써넣으세요.

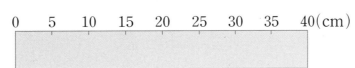

(1) 40 cm의 $\frac{1}{8}$은 ☐ cm입니다.

(2) 40 cm의 $\frac{3}{8}$은 ☐ cm입니다.

닭장에 주어진 닭의 수만큼 닭 붙임딱지를 붙여 보세요.

꼬꼬네 집

12마리의 $\dfrac{1}{4}$ 20마리의 $\dfrac{3}{5}$

16마리의 $\dfrac{3}{8}$ 15마리의 $\dfrac{2}{5}$

8마리의 $\dfrac{1}{2}$ 21마리의 $\dfrac{4}{7}$

9마리의 $\dfrac{2}{3}$ 40마리의 $\dfrac{1}{8}$

토끼집에 주어진 토끼의 수만큼 토끼 붙임딱지를 붙여 보세요.

깡총이네 집

28마리의 $\frac{1}{7}$

10마리의 $\frac{1}{2}$

16마리의 $\frac{4}{8}$

12마리의 $\frac{3}{4}$

30마리의 $\frac{1}{6}$

40마리의 $\frac{2}{8}$

36마리의 $\frac{2}{9}$

27마리의 $\frac{3}{9}$

4
단원

집중! 드릴 문제

[1~4] 색칠한 부분은 전체의 몇 분의 몇인지 알아보세요.

1

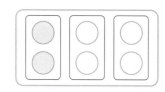

색칠한 부분은 3묶음 중에서

1묶음이므로 전체의 $\dfrac{\square}{\square}$ 입니다.

2

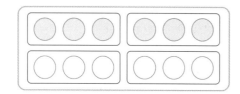

색칠한 부분은 4묶음 중에서

2묶음이므로 전체의 $\dfrac{\square}{\square}$ 입니다.

3

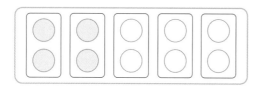

색칠한 부분은 5묶음 중에서

2묶음이므로 전체의 $\dfrac{\square}{\square}$ 입니다.

4

색칠한 부분은 6묶음 중에서

5묶음이므로 전체의 $\dfrac{\square}{\square}$ 입니다.

[5~8] 색칠한 부분을 분수로 나타내어 보세요.

5

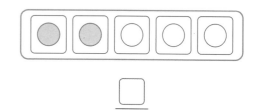

$\dfrac{\square}{\square}$

6

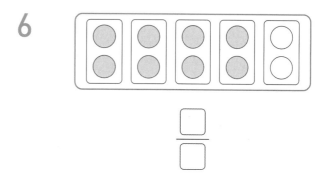

$\dfrac{\square}{\square}$

7

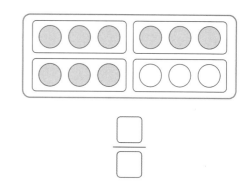

$\dfrac{\square}{\square}$

8

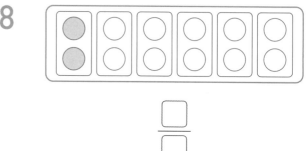

$\dfrac{\square}{\square}$

[9~13] 그림을 보고 ☐ 안에 알맞은 수를 써넣으세요.

9 18의 $\frac{1}{2}$은 ☐입니다.

10 18의 $\frac{1}{3}$은 ☐입니다.

11 18의 $\frac{2}{3}$는 ☐입니다.

12 18의 $\frac{1}{6}$은 ☐입니다.

13 18의 $\frac{5}{6}$는 ☐입니다.

[14~18] 그림을 보고 ☐ 안에 알맞은 수를 써넣으세요.

0   1(m)
0 10 20 30 40 50 60 70 80 90 100(cm)

14 $\frac{1}{2}$ m는 ☐ cm입니다.

15 $\frac{1}{5}$ m는 ☐ cm입니다.

16 $\frac{2}{5}$ m는 ☐ cm입니다.

17 $\frac{3}{5}$ m는 ☐ cm입니다.

18 $\frac{7}{10}$ m는 ☐ cm입니다.

4 단원

1 색칠한 부분을 분수로 나타내어 보세요.

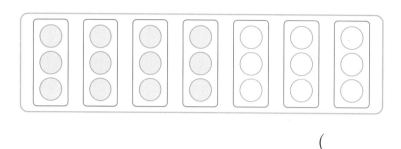

(   )

2 딸기 20개를 4개씩 묶고 ☐ 안에 알맞은 수를 써넣으세요.

(1) 20을 4씩 묶으면 ☐ 묶음이 됩니다.

(2) 4는 20의 $\dfrac{\square}{\square}$ 입니다.

(3) 12는 20의 $\dfrac{\square}{\square}$ 입니다.

3 그림을 보고 ☐ 안에 알맞은 수를 써넣으세요.

(1) 16의 $\dfrac{1}{8}$ 은 ☐ 입니다.

(2) 16의 $\dfrac{3}{8}$ 은 ☐ 입니다.

4 그림을 보고 ☐ 안에 알맞은 수를 써넣으세요.

0　　　5　　　10　　　15　　　20　　　25(cm)

(1) 25 cm의 $\dfrac{2}{5}$는 ☐ cm입니다.

(2) 25 cm의 $\dfrac{4}{5}$는 ☐ cm입니다.

5 관계있는 것끼리 선으로 이어 보세요.

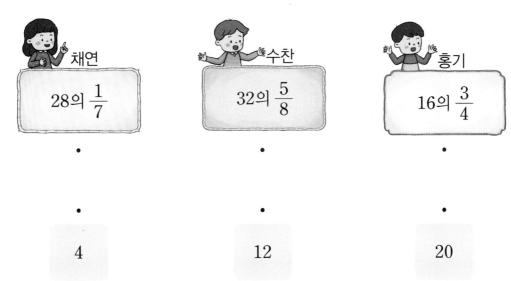

채연
28의 $\dfrac{1}{7}$

수찬
32의 $\dfrac{5}{8}$

홍기
16의 $\dfrac{3}{4}$

4　　　12　　　20

6 ☐ 안에 알맞은 수를 써넣으세요.

(1) 36의 $\dfrac{1}{9}$은 ☐ 입니다.　　(2) 40의 $\dfrac{5}{8}$는 ☐ 입니다.

(3) 24의 $\dfrac{3}{4}$은 ☐ 입니다.　　(4) 15의 $\dfrac{2}{3}$는 ☐ 입니다.

7 크기를 비교하여 ○ 안에 >, =, <를 알맞게 써넣으세요.

18의 $\dfrac{2}{3}$ 40의 $\dfrac{3}{8}$

8 □ 안에 알맞은 수를 써넣고, 빨간색과 파란색으로 그 수만큼 색칠해 보세요.

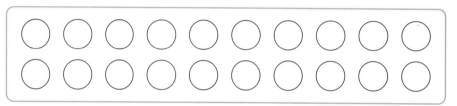

20의 $\dfrac{1}{4}$은 빨간색 공입니다. ➡ □개

20의 $\dfrac{3}{4}$은 파란색 공입니다. ➡ □개

9 □ 안에 알맞은 수를 써넣으세요.

(1) 1시간의 $\dfrac{1}{4}$은 □ 분입니다.

(2) 1시간의 $\dfrac{1}{6}$은 □ 분입니다.

10 나타내는 길이가 나머지와 <u>다른</u> 하나를 찾아 기호를 써 보세요.

㉠ 15 cm의 $\dfrac{2}{5}$ ㉡ 27 cm의 $\dfrac{3}{9}$ ㉢ 16 cm의 $\dfrac{3}{8}$

(   )

11 <u>잘못</u> 이야기한 사람을 찾아 이름을 써 보세요.

4는 10의 $\dfrac{2}{5}$야.

채연

15는 21의 $\dfrac{4}{7}$야.

홍기

(   )

4

단원

12 정훈이는 사탕 18개 중 $\dfrac{5}{6}$만큼을 친구에게 주었습니다. 정훈이가 친구에게 준 사탕은 몇 개인지 구해 보세요.

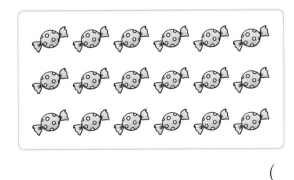

(   )

교과서 개념 잡기

개념 ③ 여러 가지 분수 알아보기

- 진분수와 가분수 알아보기

$\frac{1}{4}$, $\frac{2}{4}$, $\frac{3}{4}$과 같이 분자가 분모보다 작은 분수를 진분수라고 합니다.

$\frac{4}{4}$, $\frac{5}{4}$와 같이 분자가 분모와 같거나 분모보다 큰 분수를 가분수라고 합니다.

$\frac{4}{4}$는 1과 같습니다. 1, 2, 3과 같은 수를 자연수라고 합니다.
→ 0은 자연수가 아닙니다.

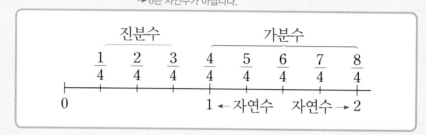

- 대분수 알아보기

1과 $\frac{1}{4}$은 $1\frac{1}{4}$이라 쓰고, 1과 4분의 1이라고 읽습니다.

$1\frac{1}{4}$과 같이 자연수와 진분수로 이루어진 분수를 대분수라고 합니다.

- 대분수를 가분수로, 가분수를 대분수로 나타내기

$2\frac{1}{3}$ ➡ (2와 $\frac{1}{3}$) ➡ ($\frac{6}{3}$과 $\frac{1}{3}$) ➡ $\frac{7}{3}$
└──────┘
→ 자연수를 가분수로 나타내기

$\frac{5}{3}$ ➡ ($\frac{3}{3}$과 $\frac{2}{3}$) ➡ (1과 $\frac{2}{3}$) ➡ $1\frac{2}{3}$
└──────┘
→ 가분수를 자연수로 나타내기

개념 Check

📖 진분수, 가분수, 대분수를 바르게 말한 친구를 찾아 ◯표 하세요.

1 보기 를 보고 ☐ 안에 알맞은 수를 써넣으세요.

보기

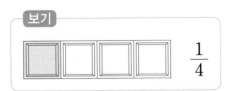

$\dfrac{1}{4}$

(1) 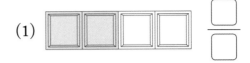 $\dfrac{\square}{\square}$

(2) 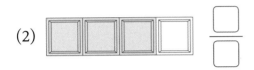 $\dfrac{\square}{\square}$

(3) 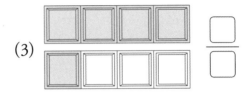 $\dfrac{\square}{\square}$

2 진분수는 '진', 가분수는 '가', 대분수는 '대'를 써 보세요.

(1) $\dfrac{5}{2}$ (   )

(2) $1\dfrac{3}{5}$ (   )

[3~4] 그림을 보고 대분수는 가분수로, 가분수는 대분수로 나타내어 보세요.

3 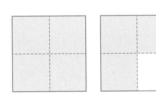 $1\dfrac{3}{4} = \dfrac{\square}{\square}$

4 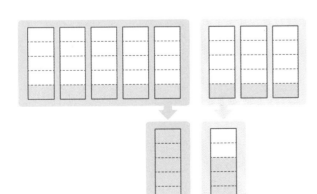 $\dfrac{8}{5} = \square\dfrac{\square}{\square}$

개념 ④ 분모가 같은 분수의 크기 비교하기

- 분모가 같은 가분수의 크기 비교

  분자의 크기가 큰 가분수가 더 큽니다.

  예 $\overset{3<7}{\dfrac{3}{2}<\dfrac{7}{2}}$, $\overset{7>6}{\dfrac{7}{5}>\dfrac{6}{5}}$

- 분모가 같은 대분수의 크기 비교

  ① 자연수 부분이 다르면 자연수 부분이 클수록 더 큽니다.

  예 $\overset{3>1}{3\dfrac{1}{5}>1\dfrac{3}{5}}$

  ② 자연수 부분이 같으면 진분수의 분자가 클수록 더 큽니다.

  예 $2\dfrac{2}{7}$와 $2\dfrac{5}{7}$의 크기 비교

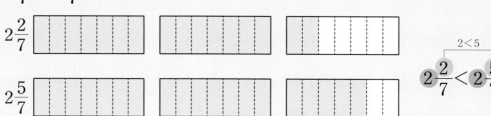

$$\overset{2<5}{2\dfrac{2}{7}<2\dfrac{5}{7}}$$

- 분모가 같은 대분수와 가분수의 크기 비교

  가분수 또는 대분수로 모두 나타내어 분수의 크기를 비교합니다.

  예 $\dfrac{9}{4}$와 $1\dfrac{3}{4}$의 크기 비교

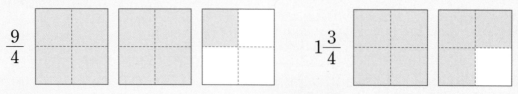

방법 1 모두 가분수로 나타내어 비교하기: $\dfrac{9}{4}>\dfrac{7}{4}$ → $\dfrac{9}{4}>1\dfrac{3}{4}$

방법 2 모두 대분수로 나타내어 비교하기: $2\dfrac{1}{4}>1\dfrac{3}{4}$ → $\dfrac{9}{4}>1\dfrac{3}{4}$

1 $\dfrac{8}{7}$과 $\dfrac{11}{7}$의 크기를 비교하려고 합니다. 물음에 답하세요.

(1) $\dfrac{8}{7}$과 $\dfrac{11}{7}$을 수직선에 나타내어 보세요.

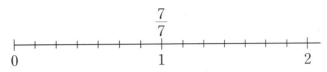

(2) $\dfrac{8}{7}$과 $\dfrac{11}{7}$ 중 어느 분수가 더 클까요?

(   )

2 그림을 보고 분수의 크기를 비교하여 ○ 안에 ＞, ＝, ＜를 알맞게 써넣으세요.

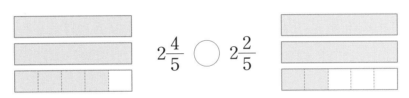

$2\dfrac{4}{5}$ ○ $2\dfrac{2}{5}$

3 분수의 크기를 비교하여 ○ 안에 ＞, ＝, ＜를 알맞게 써넣고, 알맞은 말에 ○표 하세요.

$2\dfrac{4}{11}$ ○ $3\dfrac{2}{11}$

(자연수 부분 , 분자)의 크기를 비교하면 $2\dfrac{4}{11}$가 $3\dfrac{2}{11}$보다 더 (큽니다 , 작습니다).

4 $2\dfrac{3}{8}$과 $\dfrac{17}{8}$의 크기를 비교하려고 합니다. 물음에 답하세요.

(1) $2\dfrac{3}{8}$을 가분수로 나타내어 보세요.

(   )

(2) $2\dfrac{3}{8}$과 $\dfrac{17}{8}$ 중 더 큰 분수를 써 보세요.

(   )

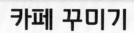
진분수, 가분수, 대분수에 알맞은 커피 도구를 붙여 보세요.

가분수를 대분수로 바꾼 붙임딱지를 붙인 후 크기를 비교하여 ○ 안에 >, =, <를 알맞게 써넣으세요.

$\dfrac{17}{7}$ ○ $2\dfrac{1}{7}$ $\dfrac{11}{4}$ ○ $3\dfrac{3}{4}$

$\dfrac{13}{5}$ ○ $3\dfrac{1}{5}$ $2\dfrac{8}{9}$ ○ $\dfrac{25}{9}$

대분수를 가분수로 바꾼 붙임딱지를 붙인 후 크기를 비교하여 ○ 안에 >, =, <를 알맞게 써넣으세요.

$3\dfrac{2}{4}$ ○ $\dfrac{15}{4}$ $1\dfrac{4}{9}$ ○ $\dfrac{15}{9}$

$3\dfrac{3}{7}$ ○ $\dfrac{23}{7}$ $\dfrac{19}{5}$ ○ $4\dfrac{1}{5}$

[1~6] 진분수는 '진', 가분수는 '가', 대분수는 '대'를 써 보세요.

1 $5\frac{4}{7}$ → (   )

2 $\frac{11}{5}$ → (   )

3 $\frac{13}{13}$ → (   )

4 $\frac{9}{11}$ → (   )

5 $\frac{23}{22}$ → (   )

6 $3\frac{8}{15}$ → (   )

[7~12] 대분수를 가분수로 나타내어 보세요.

7 $2\frac{1}{6} = \dfrac{\boxed{}}{6}$

8 $5\frac{2}{3}$

9 $4\frac{3}{11}$

10 $3\frac{5}{7}$

11 $4\frac{2}{9}$

12 $8\frac{3}{5}$

[13~18] 가분수를 대분수로 나타내어 보세요.

13 $\dfrac{8}{7}=\boxed{}\dfrac{\boxed{}}{7}$

14 $\dfrac{25}{3}$

15 $\dfrac{35}{6}$

16 $\dfrac{13}{4}$

17 $\dfrac{60}{7}$

18 $\dfrac{79}{11}$

[19~24] 두 분수의 크기를 비교하여 ○ 안에 >, =, <를 알맞게 써넣으세요.

19 $\dfrac{51}{7}$ ◯ $\dfrac{55}{7}$

20 $2\dfrac{7}{8}$ ◯ $3\dfrac{1}{8}$

21 $2\dfrac{4}{9}$ ◯ $2\dfrac{1}{9}$

22 $2\dfrac{1}{7}$ ◯ $\dfrac{15}{7}$

23 $\dfrac{40}{4}$ ◯ $9\dfrac{1}{4}$

24 $6\dfrac{1}{3}$ ◯ $\dfrac{20}{3}$

4

단원

1 그림을 보고 대분수와 가분수로 각각 나타내어 보세요.

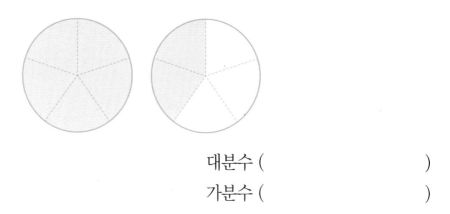

대분수 (   )

가분수 (   )

2 대분수를 찾아 ○표 하세요.

| $\dfrac{8}{7}$ | $2\dfrac{8}{9}$ | $\dfrac{3}{10}$ |

(   )   (   )   (   )

3 진분수를 모두 찾아 ○표 하세요.

$$\frac{4}{5} \qquad 2\frac{1}{3} \qquad \frac{6}{5} \qquad \frac{7}{7} \qquad \frac{11}{9} \qquad \frac{1}{4} \qquad 1\frac{3}{8}$$

4 ☐ 안에 알맞은 수를 써넣으세요.

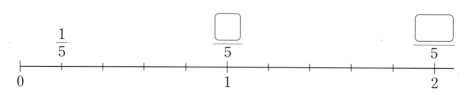

5 가분수를 찾아 ○표 하세요.

(1)

$\dfrac{6}{4}$	$1\dfrac{3}{4}$

(2)

$\dfrac{2}{9}$	$\dfrac{10}{7}$

6 대분수는 가분수로, 가분수는 대분수로 나타내어 보세요.

(1) $1\dfrac{3}{8} = \dfrac{\boxed{}}{\boxed{}}$

(2) $3\dfrac{2}{5} = \dfrac{\boxed{}}{\boxed{}}$

(3) $\dfrac{11}{9} = \boxed{}\dfrac{\boxed{}}{\boxed{}}$

(4) $\dfrac{14}{3} = \boxed{}\dfrac{\boxed{}}{\boxed{}}$

7 수직선을 보고 두 분수의 크기를 비교하여 ○ 안에 >, <를 알맞게 써넣으세요.

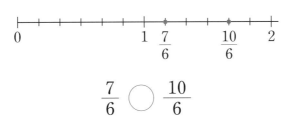

$$\dfrac{7}{6} \;\bigcirc\; \dfrac{10}{6}$$

8 자연수 부분이 6이고 분모가 3인 대분수를 모두 써 보세요.

(   )

9 대분수를 가분수로 바르게 나타낸 것을 찾아 선으로 이어 보세요.

$$2\frac{3}{11}$$
·

$$3\frac{5}{11}$$
·

·

·

·

$$\frac{25}{11}$$

$$\frac{32}{11}$$

$$\frac{38}{11}$$

10 사다리를 타고 내려가 도착한 곳이 참이면 ○표, 거짓이면 ×표 하세요.

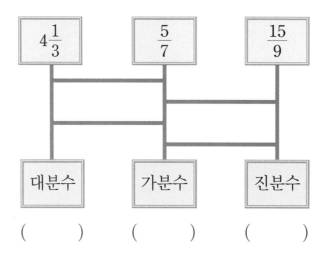

대분수   가분수   진분수

(   )   (   )   (   )

11 분수의 크기를 비교하여 ○ 안에 >, =, <를 알맞게 써넣으세요.

(1) $\frac{9}{7}$ ○ $\frac{13}{7}$

(2) $3\frac{1}{5}$ ○ $2\frac{3}{5}$

12 $\dfrac{15}{8}$와 $2\dfrac{1}{8}$ 중 어느 분수가 더 큰지 두 가지 방법으로 알아보세요.

방법1 $\dfrac{15}{8}$를 대분수로 나타내면 ⬚ 이므로 $\dfrac{15}{8}$와 $2\dfrac{1}{8}$ 중 더 큰 분수는 ⬚
입니다.

방법2 $2\dfrac{1}{8}$을 가분수로 나타내면 ⬚ 이므로 $\dfrac{15}{8}$와 $2\dfrac{1}{8}$ 중 더 큰 분수는 ⬚
입니다.

13 다음을 읽고 채연이가 수학 공부를 한 시간은 몇 시간인지 가분수로 나타내어 보세요.

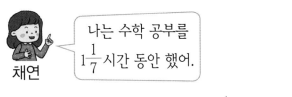

나는 수학 공부를 $1\dfrac{1}{7}$시간 동안 했어.

채연

(   )

4
단원

14 세 분수 중에서 가장 작은 분수를 찾아 기호를 써 보세요.

㉠ $6\dfrac{5}{14}$ ㉡ $8\dfrac{9}{14}$ ㉢ $6\dfrac{7}{14}$

(   )

개념 확인평가

4. 분수

1 그림을 보고 □ 안에 알맞은 수를 써넣으세요.

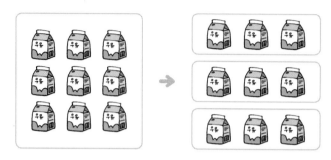

(1) 부분 은 전체  를 똑같이 3부분으로

나눈 것 중의 □입니다.

(2) 전체를 똑같이 3부분으로 나눈 것 중의 1은 $\dfrac{\Box}{\Box}$입니다.

2 □ 안에 알맞은 수를 써넣으세요.

15를 3씩 묶으면 □묶음이 됩니다. 6은 15의 $\dfrac{\Box}{\Box}$입니다.

3 10 cm의 종이띠를 $\dfrac{3}{5}$만큼 색칠하고, □ 안에 알맞은 수를 써넣으세요.

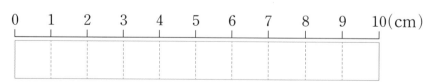

10 cm의 $\dfrac{3}{5}$은 □ cm입니다.

4 8장의 카드를 보고 물음에 답하세요.

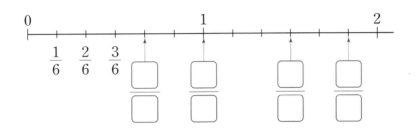

(1) 카드를 2장씩 묶으면 4장은 8장의 $\frac{\square}{\square}$ 입니다.

(2) 8장의 $\frac{3}{4}$ 은 몇 장일까요?

(   )

5 분모가 6인 분수를 수직선에 나타내어 보세요.

6 진분수는 ○표, 가분수는 △표, 대분수는 □표 하세요.

$$\frac{3}{17} \qquad \frac{7}{7} \qquad 1\frac{3}{8} \qquad \frac{9}{2} \qquad 2\frac{6}{19} \qquad \frac{8}{101}$$

7 그림을 보고 대분수와 가분수로 각각 나타내어 보세요.

대분수 (   )

가분수 (   )

8 가분수를 대분수로 바르게 나타낸 것을 찾아 선으로 이어 보세요.

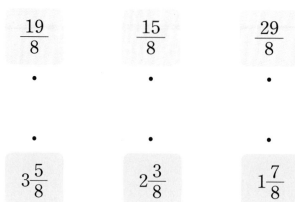

$$\frac{19}{8} \qquad \frac{15}{8} \qquad \frac{29}{8}$$

$$3\frac{5}{8} \qquad 2\frac{3}{8} \qquad 1\frac{7}{8}$$

9 □ 안에 알맞은 수를 써넣고, 분홍색과 하늘색으로 그 수만큼 색칠해 보세요.

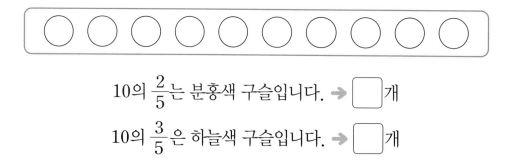

10의 $\frac{2}{5}$는 분홍색 구슬입니다. ➡ □개

10의 $\frac{3}{5}$은 하늘색 구슬입니다. ➡ □개

10 유미는 막대 과자의 $\frac{3}{5}$을 먹었습니다. 그림을 보고 유미가 먹은 막대 과자는 몇 개인지 구해 보세요.

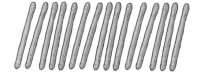

( )

11 분수를 큰 순서대로 써 보세요.

$2\frac{5}{7}$ $\quad \frac{18}{7}$ $\quad 3\frac{1}{7}$ ➡ □ > □ > □

5 들이와 무게

학습 계획표

내용	쪽수	날짜		확인
교과서 **개념** 잡기	118~121쪽	월	일	
교과서 **개념** play / **집중!** 드릴 문제	122~125쪽	월	일	
교과서 **개념 확인** 문제	126~129쪽	월	일	
교과서 **개념** 잡기	130~133쪽	월	일	
교과서 **개념** play / **집중!** 드릴 문제	134~137쪽	월	일	
교과서 **개념 확인** 문제	138~141쪽	월	일	
개념 확인평가	142~144쪽	월	일	

개념 ① 들이 비교하기 — 주스병과 물병의 들이 비교하기

방법1 한쪽에 옮겨 담아 비교하기

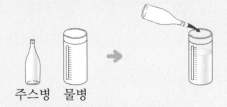

주스병에 채운 물이 물병에 다 들어갔으므로
물병의 들이가 더 많습니다.

방법2 같은 그릇에 옮겨 담아 비교하기

물병에 담긴 물의 높이가 더 높으므로
물병의 들이가 더 많습니다.

방법3 같은 단위로 비교하기

3<5이므로
물병의 들이가 더 많습니다.

개념 ② 들이의 단위 알아보기

들이의 단위에는 리터와 밀리리터 등이 있습니다.
1 리터는 1 L, 1 밀리리터는 1 mL라고 씁니다.

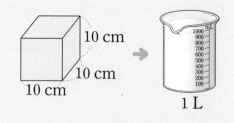

$$1\,L \qquad 1\,mL$$

1 리터는 1000 밀리리터와 같습니다.

> 1 L = 1000 mL

1 L보다 300 mL 더 많은 들이를 1 L 300 mL라 쓰고 1 리터 300 밀리리터
라고 읽습니다. 1 L는 1000 mL와 같으므로 1 L 300 mL는 1300 mL입니다.

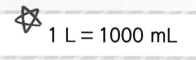

> 1 L 300 mL = 1300 mL

1 가 그릇에 물을 가득 채운 후 나 그릇에 옮겨 담았습니다. 오른쪽과 같이 물을 채우고 흘러 넘쳤을 때에 가와 나 중 들이가 더 많은 것은 어느 것인지 써 보세요.

(   )

2 주전자와 냄비에 물을 가득 채운 후 모양과 크기가 같은 그릇에 옮겨 담았습니다. 오른쪽과 같이 물을 채웠을 때에 주전자와 냄비 중 들이가 더 많은 것은 어느 것인지 써 보세요.

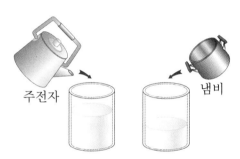

주전자   냄비

(   )

5 단원

3 주어진 들이를 쓰고 읽어 보세요.

3 L 500 mL

쓰기 _____

읽기 (   )

4 안에 알맞은 수를 써넣으세요.

(1) 2 L = ☐ mL   (2) 1 L 600 mL = ☐ mL

(3) 5000 mL = ☐ L   (4) 3700 mL = ☐ L ☐ mL

개념 ③ 들이를 어림하고 재어 보기

들이를 어림하여 말할 때는 약 ☐ L 또는 약 ☐ mL라고 합니다.

개념 ④ 들이의 덧셈과 뺄셈

- 들이의 덧셈: L는 L끼리 더하고, mL는 mL끼리 더합니다.

$$\begin{array}{c|c} & \\ 2\,\text{L} & 400\,\text{mL} \\ +\ 2\,\text{L} & 300\,\text{mL} \\ \hline 4\,\text{L} & 700\,\text{mL} \end{array}$$

$$\begin{array}{c|c} ^1 & \\ 3\,\text{L} & 800\,\text{mL} \\ +\ 1\,\text{L} & 500\,\text{mL} \\ \hline 5\,\text{L} & 300\,\text{mL} \end{array}$$

mL끼리의 합이 1000 mL이거나 1000 mL를 넘으면 1000 mL를 1 L로 받아올림합니다.

800 mL+500 mL=1300 mL이므로
1000 mL를 1 L로 받아올림합니다.

- 들이의 뺄셈: L는 L끼리 빼고, mL는 mL끼리 뺍니다.

$$\begin{array}{c|c} & \\ 5\,\text{L} & 600\,\text{mL} \\ -\ 1\,\text{L} & 200\,\text{mL} \\ \hline 4\,\text{L} & 400\,\text{mL} \end{array}$$

$$\begin{array}{c|c} ^3 & ^{1000} \\ \cancel{4}\,\text{L} & 700\,\text{mL} \\ -\ 1\,\text{L} & 900\,\text{mL} \\ \hline 2\,\text{L} & 800\,\text{mL} \end{array}$$

mL끼리 뺄 수 없으면 1 L를 1000 mL로 받아내림합니다.

700 mL에서 900 mL를 뺄 수 없으므로
1 L를 1000 mL로 받아내림합니다.

개념 Check

🎓 냄비의 들이를 바르게 어림한 친구를 찾아 ◯표 하세요.

냄비의 들이는 약 2 mL입니다.

냄비의 들이는 약 2 L입니다.

1 들이가 약 1 L인 것에 ○표 하세요.

(   )   (   )

2 ☐ 안에 L와 mL 중에서 알맞은 단위를 써넣으세요.

(1)

컵의 들이는

약 100 ☐ 입니다.

(2)

욕조의 들이는

약 300 ☐ 입니다.

5

단원

3 ☐ 안에 알맞은 수를 써넣으세요.

(1)
$$\begin{array}{r} 1 \ \text{L} \quad\ 200 \ \text{mL} \\ + \ 2 \ \text{L} \quad\ 100 \ \text{mL} \\ \hline \boxed{} \ \text{L} \quad \boxed{} \ \text{mL} \end{array}$$

(2)
$$\begin{array}{r} \boxed{} \\ 4 \ \text{L} \quad\ 600 \ \text{mL} \\ + \ 1 \ \text{L} \quad\ 600 \ \text{mL} \\ \hline \boxed{} \ \text{L} \quad \boxed{} \ \text{mL} \end{array}$$

4 ☐ 안에 알맞은 수를 써넣으세요.

(1)
$$\begin{array}{r} 3 \ \text{L} \quad\ 800 \ \text{mL} \\ - \ 2 \ \text{L} \quad\ 500 \ \text{mL} \\ \hline \boxed{} \ \text{L} \quad \boxed{} \ \text{mL} \end{array}$$

(2)
$$\begin{array}{r} \boxed{} \quad \boxed{} \\ 7 \ \text{L} \quad\ 300 \ \text{mL} \\ - \ 4 \ \text{L} \quad\ 700 \ \text{mL} \\ \hline \boxed{} \ \text{L} \quad \boxed{} \ \text{mL} \end{array}$$

준비물 붙임딱지

두 그릇에 들어 있는 물을 수조에 담아 보세요.

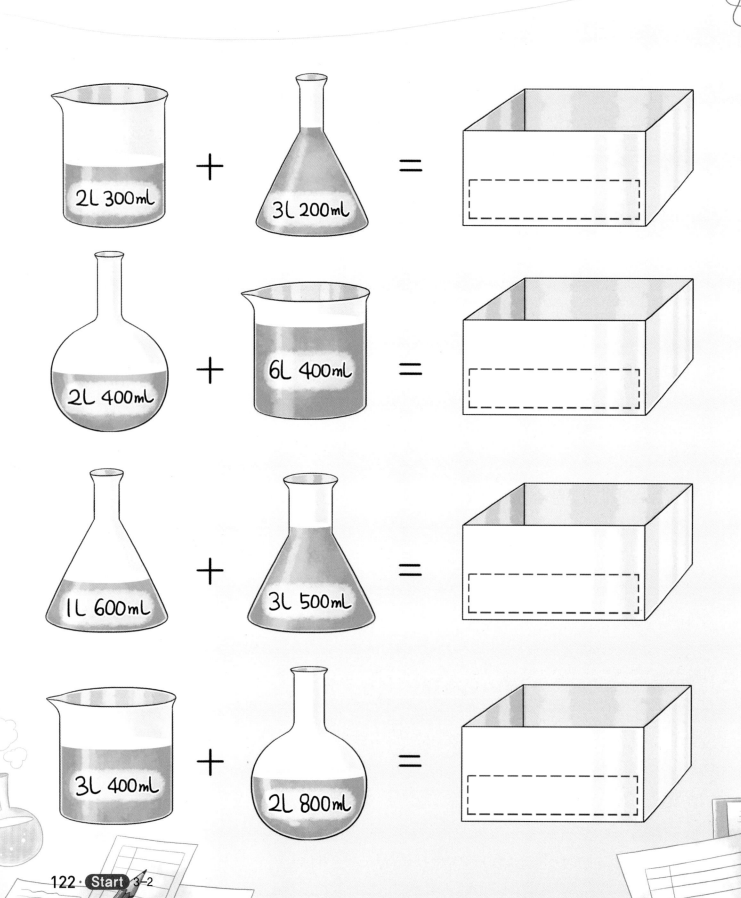

수조에서 덜어 내고 남은 물을 비커에 담아 보세요.

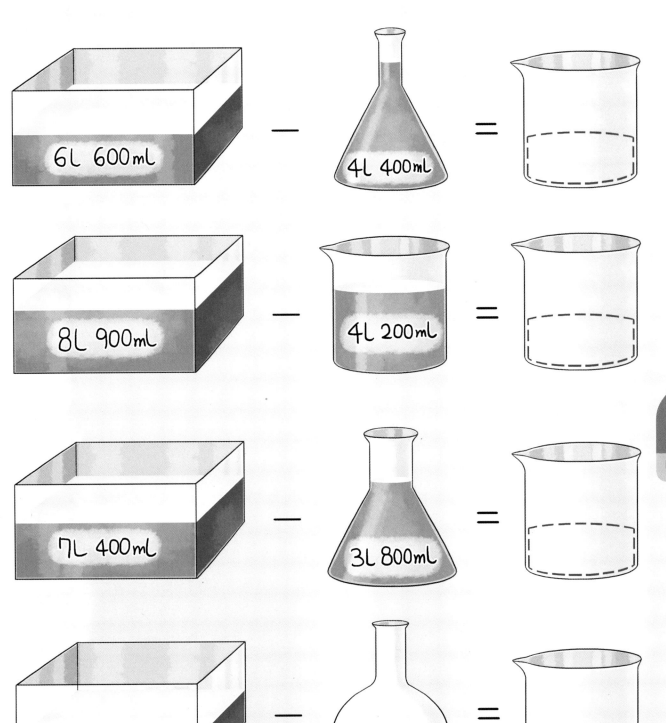

6L 600mL − 4L 400mL =

8L 900mL − 4L 200mL =

7L 400mL − 3L 800mL =

5L 400mL − 2L 700mL =

집중! 드릴 문제

[1~6] ☐ 안에 알맞은 수를 써넣으세요.

1 4 L = ☐ mL

2 1 L 600 mL = ☐ mL

3 2 L 820 mL = ☐ mL

4 3000 mL = ☐ L

5 1700 mL = ☐ L ☐ mL

6 6380 mL = ☐ L ☐ mL

[7~12] ☐ 안에 L와 mL 중에서 알맞은 단위를 써넣으세요.

7 약병의 들이는 약 35 ☐ 입니다.

8 종이컵의 들이는 약 150 ☐ 입니다.

9 양동이의 들이는 약 4 ☐ 입니다.

10 간장병의 들이는 약 1 ☐ 입니다.

11 주사기의 들이는 약 10 ☐ 입니다.

12 수조의 들이는 약 5 ☐ 입니다.

[13~17] 계산해 보세요.

13
    3 L   400 mL
 + 2 L   200 mL

14
    4 L   250 mL
 + 4 L   130 mL

15
    1 L   700 mL
 + 3 L   500 mL

16 3 L 500 mL + 4 L 300 mL

17 5 L 400 mL + 3 L 900 mL

[18~22] 계산해 보세요.

18
    5 L   500 mL
 − 1 L   300 mL

19
    4 L   860 mL
 − 2 L   550 mL

20
    3 L   200 mL
 − 1 L   500 mL

21 6 L 800 mL − 4 L 700 mL

22 7 L 300 mL − 2 L 600 mL

5
단원

1 우유병에 물을 가득 채운 후 주스병에 옮겨 담았습니다. 오른쪽 그림과 같이 물을 채웠을 때에 우유병과 주스병 중 들이가 더 많은 것은 어느 것인지 써 보세요.

(   )

2 물의 양이 얼마인지 눈금을 읽고 ☐ 안에 알맞은 수를 써넣으세요.

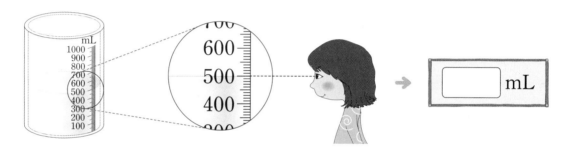

☐ mL

[3~4] 기름병과 간장병에 물을 가득 채운 후 모양과 크기가 같은 컵에 옮겨 담았습니다. 물음에 답하세요.

3 기름병과 간장병 중 들이가 더 많은 것은 어느 것일까요?

(   )

4 ☐ 안에 알맞은 말이나 수를 써넣으세요.

☐이 ☐보다 컵 ☐개만큼 물이 더 들어갑니다.

5 세탁 세제 통에 물을 가득 채운 후 비커에 모두 옮겨 담았습니다. 세탁 세제 통의 들이는 몇 mL인지 구해 보세요.

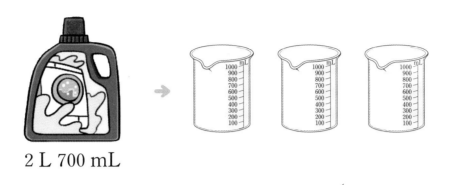

2 L 700 mL

(   )

6 ☐ 안에 알맞은 수를 써넣으세요.

(1) 7 L = ☐ mL

(2) 5000 mL = ☐ L

(3) 2 L 300 mL = ☐ mL

(4) 8 L 20 mL = ☐ mL

7 알맞은 단위를 찾아 ○표 하세요.

(1)

우유갑의 들이는
약 200 (L , mL)입니다.

(2)

주전자의 들이는
약 5 (L , mL)입니다.

8 계산해 보세요.

(1) 4 L 500 mL + 2 L 400 mL

(2) 8 L 900 mL − 5 L 200 mL

9 보기 에서 물건을 선택하여 문장을 완성해 보세요.

> 보기
>
> 음료수 캔   냉장고

(1) ⬚ 의 들이는 약 500 L입니다.

(2) ⬚ 의 들이는 약 250 mL입니다.

10 들이가 같은 것끼리 선으로 이어 보세요.

2 L 900 mL   •   •   2900 mL

4 L 300 mL   •   •   7050 mL

7 L 50 mL   •   •   4300 mL

11 계산해 보세요.

(1)   2 L   700 mL
     + 5 L   600 mL
     ─────────────

(2)   7 L   500 mL
     − 3 L   800 mL
     ─────────────

12 잘못 나타낸 것을 찾아 기호를 써 보세요.

㉠ 3500 mL = 3 L 500 mL   ㉡ 1 L 800 mL = 1800 mL
㉢ 2 L 300 mL = 2300 mL   ㉣ 5050 mL = 50 L 50 mL

(   )

13 □ 안에 알맞은 수를 써넣으세요.

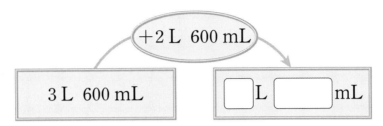

14 들이를 비교하여 ○ 안에 >, =, <를 알맞게 써넣으세요.

(1) 5230 mL ◯ 5 L

(2) 7 L 20 mL ◯ 7200 mL

15 들이가 가장 많은 것을 찾아 기호를 써 보세요.

㉠ 4 L 60 mL ㉡ 4600 mL ㉢ 4006 mL

(   )

5
단원

16 두 그릇의 들이의 차는 몇 L 몇 mL인지 구해 보세요.

5 L 200 mL   1 L 700 mL

(   )

개념 5 무게 비교하기 — 토마토와 레몬의 무게 비교하기

방법1 직접 들어서 비교하기	**방법2** 저울로 비교하기	**방법3** 같은 단위로 비교하기

토마토를 든 쪽이 더 무겁게 느껴집니다.

토마토가 더 무겁습니다.

토마토가 놓인 접시가 내려갔습니다.

토마토가 더 무겁습니다.

35 > 20이므로

토마토가 더 무겁습니다.

개념 6 무게의 단위 알아보기

무게의 단위에는 킬로그램과 그램 등이 있습니다. 1 킬로그램은 1 kg, 1 그램은 1g 이라고 씁니다.

$$1\,kg \qquad 1\,g$$

1 킬로그램은 1000 그램과 같습니다.

> ☆ 1 kg = 1000 g

1 kg보다 300 g 더 무거운 무게를 1 kg 300 g이라 쓰고 1 킬로그램 300 그램 이라고 읽습니다. 1 kg은 1000 g과 같으므로 1 kg 300 g은 1300 g입니다.

> 1 kg 300 g = 1300 g

1000 kg의 무게를 1 t이라 쓰고 1 톤이라고 읽습니다. 1 톤은 1000 킬로그램과 같습니다.

$$1\,t$$

> ☆ 1 t = 1000 kg

1 무게가 무거운 것부터 순서대로 기호를 써 보세요.

　　　㉠ 꽃병　　　㉡ 안경　　　㉢ 탁자

（　　　　　　　　　）

2 저울과 바둑돌로 당근과 무의 무게를 비교하고 있습니다. 당근과 무 중에서 어느 것이 더 무거운지 써 보세요.

（　　　　　　　　　）

3 주어진 무게를 쓰고 읽어 보세요.

2 kg 500 g

쓰기 ....

읽기 （　　　　　　　　　）

4 ☐ 안에 알맞은 수를 써넣으세요.

(1) 3 kg = ☐ g

(2) 1 kg 600 g = ☐ g

(3) 5200 g = ☐ kg ☐ g

(4) 2 t = ☐ kg

개념 ⑦ 무게를 어림하고 재어 보기

무게를 어림하여 말할 때는 약 ☐ kg 또는 약 ☐ g이라고 합니다.

1 kg

→ 덤벨

→ 덤벨이 2개쯤 있는 무게입니다.

약 2 kg

→ 덤벨이 5개쯤 있는 무게입니다.

약 5 kg

→ 덤벨보다 가볍습니다.

약 500 g

개념 ⑧ 무게의 덧셈과 뺄셈

• 무게의 덧셈: kg은 kg끼리 더하고, g은 g끼리 더합니다.

	2 kg	500 g
+	1 kg	200 g
	3 kg	700 g

	4 kg	700 g
+	2 kg	600 g
	7 kg	300 g

> g끼리의 합이 1000 g이거나 1000 g을 넘으면 1000 g을 1 kg으로 받아올림합니다.

700 g+600 g=1300 g이므로 1000 g을 1 kg으로 받아올림합니다.

• 무게의 뺄셈: kg은 kg끼리 빼고, g은 g끼리 뺍니다.

	3 kg	800 g
−	2 kg	400 g
	1 kg	400 g

	6 kg	100 g
−	3 kg	300 g
	2 kg	800 g

> g끼리 뺄 수 없으면 1 kg을 1000 g으로 받아내림합니다.

100 g에서 300 g을 뺄 수 없으므로 1 kg을 1000 g으로 받아내림합니다.

개념 Check

🎓 축구공의 무게를 바르게 어림한 다람쥐를 찾아 ◯표 하세요.

약 400 g

약 400 kg

1 무게가 약 1 kg인 것에 ○표 하세요.

(   )   (   )   (   )

2 ☐ 안에 kg과 g 중에서 알맞은 단위를 써넣으세요.

(1)

가지의 무게는

약 150 ☐ 입니다.

(2)

파인애플의 무게는

약 2 ☐ 입니다.

3 ☐ 안에 알맞은 수를 써넣으세요.

(1)
```
      2  kg      100  g
  +   3  kg      400  g
  ─────────────────────
    ☐ kg      ☐    g
```

(2)
```
             ☐
      1  kg      300  g
  +   5  kg      900  g
  ─────────────────────
    ☐ kg      ☐    g
```

4 ☐ 안에 알맞은 수를 써넣으세요.

(1)
```
      4  kg      700  g
  -   1  kg      500  g
  ─────────────────────
    ☐ kg      ☐    g
```

(2)
```
      ☐         ☐
      5̸  kg      400  g
  -   2  kg      800  g
  ─────────────────────
    ☐ kg      ☐    g
```

준비물 붙임딱지

두 바구니에 담긴 귤을 상자에 넣어 포장해 보세요.

 7kg 300g +  1kg 500g =

 5kg 200g +  2kg 400g =

 3kg 160g +  1kg 300g =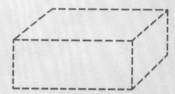

 4kg 500g +  3kg 700g =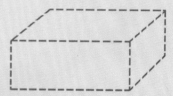

 4kg 900g +  3kg 800g =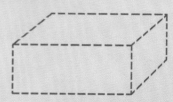

상자에서 덜어 내고 남은 포도를 바구니에 담아 보세요.

집중! 드릴 문제

[1~6] ☐ 안에 알맞은 수를 써넣으세요.

1 5 kg = ☐ g

2 1 kg 400 g = ☐ g

3 6 kg 250 g = ☐ g

4 7000 g = ☐ kg

5 3600 g = ☐ kg ☐ g

6 8540 g = ☐ kg ☐ g

[7~12] ☐ 안에 kg과 g 중에서 알맞은 단위를 써넣으세요.

7 농구공의 무게는 약 600 ☐ 입니다.

8 하마의 무게는 약 3000 ☐ 입니다.

9 냉장고의 무게는 약 150 ☐ 입니다.

10 운동화의 무게는 약 850 ☐ 입니다.

11 배추의 무게는 약 2 ☐ 입니다.

12 에어컨의 무게는 약 20 ☐ 입니다.

[13~17] 계산해 보세요.

13
$$\begin{array}{r} 4 \text{ kg} \quad 200 \text{ g} \\ + \ 2 \text{ kg} \quad 300 \text{ g} \\ \hline \end{array}$$

14
$$\begin{array}{r} 1 \text{ kg} \quad 560 \text{ g} \\ + \ 3 \text{ kg} \quad 220 \text{ g} \\ \hline \end{array}$$

15
$$\begin{array}{r} 10 \text{ kg} \quad 700 \text{ g} \\ + \ 5 \text{ kg} \quad 600 \text{ g} \\ \hline \end{array}$$

16 3 kg 600 g + 3 kg 200 g

17 18 kg 500 g + 10 kg 900 g

[18~22] 계산해 보세요.

18
$$\begin{array}{r} 3 \text{ kg} \quad 600 \text{ g} \\ - \ 1 \text{ kg} \quad 400 \text{ g} \\ \hline \end{array}$$

19
$$\begin{array}{r} 7 \text{ kg} \quad 870 \text{ g} \\ - \ 5 \text{ kg} \quad 250 \text{ g} \\ \hline \end{array}$$

20
$$\begin{array}{r} 8 \text{ kg} \quad 300 \text{ g} \\ - \ 4 \text{ kg} \quad 700 \text{ g} \\ \hline \end{array}$$

21 6 kg 800 g − 5 kg 400 g

22 4 kg 400 g − 1 kg 900 g

5

단원

1 무게가 무거운 것부터 순서대로 기호를 써 보세요.

( )

2 고구마의 무게를 재었습니다. ☐ 안에 알맞은 수를 써넣으세요.

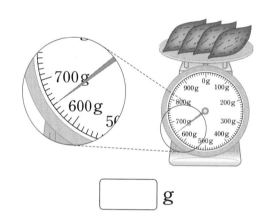

☐ g

[3~4] 저울과 100원짜리 동전으로 풀과 가위의 무게를 비교하고 있습니다. 물음에 답하세요.

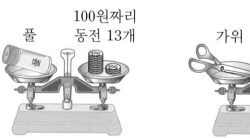

3 풀과 가위 중에서 어느 것이 더 무거운지 써 보세요.

( )

4 ☐ 안에 알맞은 말이나 수를 써넣으세요.

☐ 이/가 ☐ 보다 100원짜리 동전 ☐ 개만큼 더 무겁습니다.

5 ☐ 안에 알맞은 수를 써넣으세요.

(1) 3 kg보다 400 g 더 무거운 무게 ➡ ☐ kg ☐ g

(2) 700 kg보다 300 kg 더 무거운 무게 ➡ ☐ t

6 알맞은 단위를 찾아 ○표 하세요.

(1)

항아리의 무게는
약 8 (g , kg , t)입니다.

(2)

500원짜리 동전의 무게는
약 7 (g , kg , t)입니다.

7 바르게 나타낸 것을 찾아 기호를 써 보세요.

ㄱ 2300 g＝2 kg 3 g   ㄴ 4 kg 70 g＝4700 g   ㄷ 8050 g＝8 kg 50 g

(   )

8 계산해 보세요.

(1)   2 kg   700 g
   ＋ 3 kg   200 g

(2)   7 kg   800 g
   － 4 kg   500 g

9 저울의 눈금을 보고 멜론은 몇 g인지 구해 보세요.

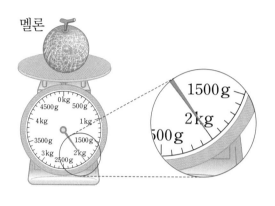

(   )

10 무게가 같은 것끼리 선으로 이어 보세요.

1 kg 700 g	•		•	2000 g
2 kg	•		•	1700 g
3 kg 50 g	•		•	3050 g

11 ☐ 안에 알맞은 수를 써넣으세요.

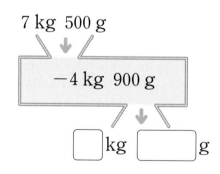

12 더 무거운 것을 찾아 기호를 써 보세요.

> ㉠ 5060 g   ㉡ 5 kg 600 g

(   )

13 두 무게의 합과 차를 각각 구해 보세요.

> 6 kg 500 g   3 kg 800 g

합 (   )
차 (   )

14 무게가 가장 무거운 강아지에 ○표 하세요.

1 kg 300 g   2 kg 30 g   1800 g

(   )   (   )   (   )

15 무게가 30 kg인 상자가 100개 있습니다. 상자의 무게는 모두 몇 t인지 구해 보세요.

(   )

1 ㉮ 병과 ㉯ 병에 물을 가득 채운 후 모양과 크기가 같은 컵에 옮겨 담았습니다. 그림과 같이 물을 채웠을 때에 ㉮와 ㉯ 중 들이가 더 많은 것은 어느 것인지 써 보세요.

(   )

2 ☐ 안에 알맞은 수를 써넣으세요.

(1) 2 L보다 340 mL 더 많은 들이 ➡ ☐ L ☐ mL

(2) 5 kg보다 860 g 더 무거운 무게 ➡ ☐ kg ☐ g

3 무게가 1 t보다 무거운 것을 모두 찾아 기호를 써 보세요.

㉠ 컴퓨터 모니터 1대   ㉡ 소방차 1대
㉢ 비행기 1대   ㉣ 식탁 1개

(   )

4 보기 에서 물건을 선택하여 문장을 완성해 보세요.

보기
전기밥솥   국그릇

(1) ☐ 의 들이는 약 300 mL입니다.

(2) ☐ 의 들이는 약 6 L입니다.

5 저울과 100원짜리 동전으로 양파와 가지 중에서 어느 것이 얼마나 더 무거운지 알아보세요.

양파   100원짜리 동전 28개   가지   100원짜리 동전 20개

□ 가 □ 보다 100원짜리 동전 □ 개만큼 더 무겁습니다.

6 들이가 같은 것끼리 선으로 이어 보세요.

4000 mL   •   •   3 L 50 mL

3 L 750 mL   •   •   4 L

3050 mL   •   •   3750 mL

7 계산해 보세요.

(1)   2 L   840 mL
    + 1 L   500 mL

(2)   7 L   200 mL
    − 5 L   600 mL

8 계산해 보세요.

(1)   1 kg   400 g
    + 3 kg   700 g

(2)   13 kg   300 g
    − 2 kg   900 g

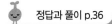

9 무게가 무거운 것부터 순서대로 기호를 써 보세요.

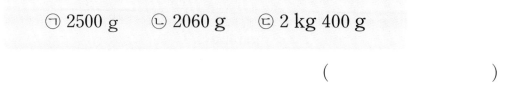

ㄱ 2500 g   ㄴ 2060 g   ㄷ 2 kg 400 g

(   )

10 고구마 한 상자의 무게는 5 kg 400 g이고 감자 한 상자의 무게는 2 kg 100 g입니다. 고구마 한 상자와 감자 한 상자는 모두 몇 kg 몇 g인지 구해 보세요.

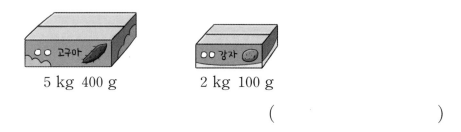

5 kg 400 g   2 kg 100 g

(   )

11 우유가 1 L 300 mL 있습니다. 그중에서 승빈이가 500 mL를 마셨다면 남은 우유는 몇 mL인지 구해 보세요.

(   )

12 수 또는 단위가 바르지 <u>않은</u> 문장을 찾아 기호를 쓰고 바르게 고쳐 보세요.

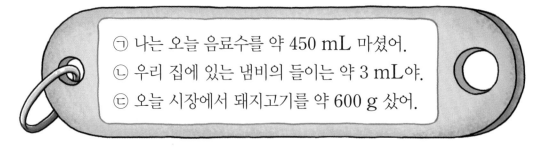

ㄱ 나는 오늘 음료수를 약 450 mL 마셨어.
ㄴ 우리 집에 있는 냄비의 들이는 약 3 mL야.
ㄷ 오늘 시장에서 돼지고기를 약 600 g 샀어.

기호	바르게 고친 문장

6 자료의 정리

1 표에서 알 수 있는 것

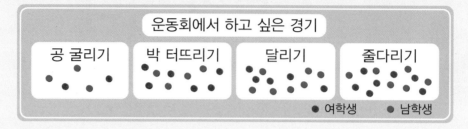

운동회에서 하고 싶은 경기

공 굴리기	박 터뜨리기	달리기	줄다리기

● 여학생　● 남학생

- 조사한 자료를 표로 나타내기

운동회에서 하고 싶은 경기

경기	공 굴리기	박 터뜨리기	달리기	줄다리기	합계
학생 수(명)	5	10	12	13	40

① 가장 많은 학생이 하고 싶어 하는 경기는 줄다리기입니다. ➡ 13 > 12 > 10 > 5
② 가장 적은 학생이 하고 싶어 하는 경기는 공 굴리기입니다.
➡ 5명으로 가장 적습니다.

- 표를 다른 방법으로 나타내기

여학생과 남학생이 운동회에서 하고 싶은 경기

경기	공 굴리기	박 터뜨리기	달리기	줄다리기	합계
여학생 수(명)	2	6	5	7	20
남학생 수(명)	3	4	7	6	20

① 가장 많은 여학생이 하고 싶어 하는 경기는 줄다리기입니다.
➡ 7 > 6 > 5 > 2
② 가장 많은 남학생이 하고 싶어 하는 경기는 달리기입니다.
➡ 7 > 6 > 4 > 3

개념 Check

표를 보고 알 수 있는 내용을 바르게 말한 친구를 찾아 ○표 하세요.

운동회에서 청군이 얻은 점수는 모두 500점입니다.

청군이 백군보다 200점을 더 얻었습니다.

운동회에서 청군과 백군이 얻은 점수

경기	공 굴리기	박 터뜨리기	달리기	줄다리기	합계
청군 점수(점)	50	100	200	150	500
백군 점수(점)	250	200	100	150	700

1 서아네 반 학생들이 좋아하는 간식을 조사하여 표로 나타내었습니다. 물음에 답하세요.

학생들이 좋아하는 간식

간식	과일	빵	떡	과자	합계
학생 수(명)	3	9	5	7	24

(1) 과자를 좋아하는 학생은 몇 명일까요?

(   )

(2) 조사한 학생은 모두 몇 명일까요?

(   )

(3) 가장 많은 학생이 좋아하는 간식은 무엇일까요?

(   )

2 민수는 교실에 색종이가 색깔별로 몇 장 있는지 조사하여 표로 나타내었습니다. 물음에 답하세요.

색깔별 색종이 수

색깔	빨간색	노란색	초록색	파란색	합계
색종이 수(장)		25	31	14	100

(1) 빨간색 색종이는 몇 장일까요?

(   )

(2) 노란색 색종이는 파란색 색종이보다 몇 장 더 많을까요?

(   )

(3) 색종이 수가 가장 많은 색깔부터 순서대로 써 보세요.

(   )

6 단원

개념 2 자료를 수집하여 표로 나타내기

- 자료 수집하기

  직접 손 들기나 붙임딱지 붙이기 등을 통하여 자료를 수집할 수 있습니다.

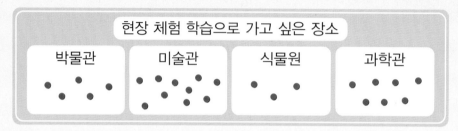

- 자료를 표로 나타내기

현장 체험 학습으로 가고 싶은 장소

장소	박물관	미술관	식물원	과학관	합계
학생 수(명)	5	10	3	7	25

5+10+3+7=25

- 표로 나타낼 때 유의할 점

  ① 조사 내용에 알맞은 제목을 정합니다.

  ② 조사 항목의 수에 맞게 칸을 나눕니다.

  ③ 조사 내용에 맞게 빈칸을 채우고, 합계가 맞는지 확인합니다.

개념 Check

조사한 자료를 보고 표로 바르게 나타낸 친구를 찾아 ○표 하세요.

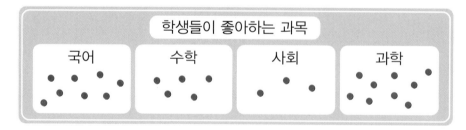

학생들이 좋아하는 과목

과목	국어	수학	사회	과학	합계
학생 수(명)	8	4	3	9	24

학생들이 좋아하는 과목

과목	국어	수학	사회	과학	합계
학생 수(명)	8	5	3	9	25

1 은우가 2월의 날씨를 조사하였습니다. 물음에 답하세요.

2월의 날씨

1일	2일	3일	4일	5일	6일	7일
☀	☀	☀	☁	⛄	☀	☀

8일	9일	10일	11일	12일	13일	14일
☀	☁	⛄	☀	☁	☀	☀

15일	16일	17일	18일	19일	20일	21일
☁	⛄	☀	☀	☀	☁	☂

22일	23일	24일	25일	26일	27일	28일
☀	☁	☁	☂	☀	☀	☀

☀ 맑음
☁ 흐림
☂ 비
⛄ 눈

(1) 은우가 조사한 것은 무엇일까요?

(   )

(2) 조사한 자료를 보고 표로 나타내어 보세요.

2월의 날씨별 날수

날씨	맑음	흐림	비	눈	합계
날수(일)	16				

2 3학년 1반 학생들의 혈액형을 조사하였습니다. 조사한 자료를 보고 표로 나타내어 보세요.

학생들의 혈액형

학생들의 혈액형

혈액형	A형	B형	O형	AB형	합계
학생 수(명)	7				

6
단원

준비물 붙임딱지

과일 가게에 과일을 진열하고 표로 나타낸 후 대화를 완성해 보세요.

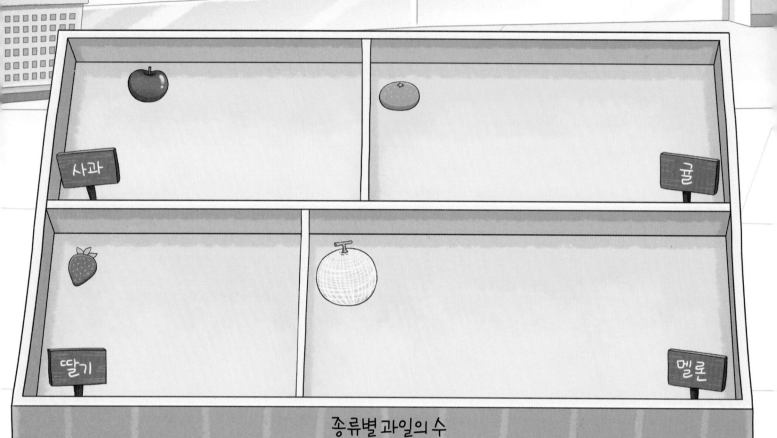

종류별 과일의 수

종류	사과	귤	딸기	멜론	합계
과일 수(개)					35

가장 많은 과일은 ☐ 입니다.

사과는 멜론보다 ☐ 개 더 (적습니다, 많습니다).

생선 가게에 생선을 진열하고 표로 나타낸 후 대화를 완성해 보세요.

꽁치

고등어

갈치

조기

종류별 생선의 수

종류	꽁치	고등어	갈치	조기	합계
생선 수 (마리)		10		11	

가장 적은 생선은 [ ]입니다.

꽁치는 조기보다 [ ]마리 더 (적습니다, 많습니다).

1 형우네 반 학생들이 좋아하는 놀이 기구를 조사하여 표로 나타내었습니다. 물음에 답하세요.

학생들이 좋아하는 놀이 기구

놀이 기구	바이킹	범퍼카	롤러 코스터	회전 그네	합계
학생 수(명)		9	4	5	20

(1) 바이킹을 좋아하는 학생은 몇 명일까요?

( )

(2) 가장 많은 학생이 좋아하는 놀이 기구는 무엇일까요?

( )

(3) 가장 적은 학생이 좋아하는 놀이 기구는 무엇일까요?

( )

(4) 범퍼카를 좋아하는 학생은 바이킹을 좋아하는 학생보다 몇 명 더 많은지 구해 보세요.

( )

2 미나네 반 학생들이 좋아하는 운동을 조사하여 남학생과 여학생으로 나누어 표로 나타내었습니다. 물음에 답하세요.

학생들이 좋아하는 운동

운동	축구	피구	농구	수영	합계
남학생 수(명)	7	2	3		13
여학생 수(명)	2	6	1	3	12

(1) 수영을 좋아하는 남학생은 몇 명일까요?

( )

(2) 가장 많은 남학생이 좋아하는 운동은 무엇일까요?

( )

(3) 가장 많은 여학생이 좋아하는 운동은 무엇일까요?

( )

(4) 농구를 좋아하는 학생은 몇 명일까요?

( )

3 지아네 반 학생들이 좋아하는 책을 조사하였습니다. 물음에 답하세요.

좋아하는 책

| 소설책 | 위인전 |
| 만화책 | 역사책 |

(1) 조사한 자료를 보고 표로 나타내어 보세요.

학생들이 좋아하는 책

종류	소설책	위인전	만화책	역사책	합계
학생 수(명)	7				

(2) 조사한 학생은 모두 몇 명일까요?

( )

(3) 가장 많은 학생이 좋아하는 책은 무엇일까요?

( )

(4) 소설책을 좋아하는 학생은 위인전을 좋아하는 학생보다 몇 명 더 많을까요?

( )

4 소희네 반 학생들이 태어난 계절을 조사하였습니다. 물음에 답하세요.

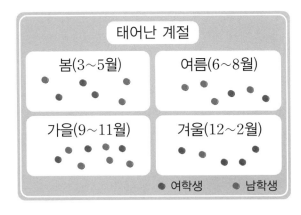

(1) 조사한 자료를 보고 표로 나타내어 보세요.

학생들이 태어난 계절

계절	봄	여름	가을	겨울	합계
여학생 수(명)	3				
남학생 수(명)	3				

(2) 가장 많은 여학생이 태어난 계절은 언제일까요?

( )

(3) 가장 많은 남학생이 태어난 계절은 언제일까요?

( )

(4) 조사한 학생은 모두 몇 명일까요?

( )

6
단원

[1~4] 민지네 반 학생들이 좋아하는 운동을 조사하여 나타낸 표입니다. 물음에 답하세요.

좋아하는 운동별 학생 수

운동	축구	야구	농구	피구	합계
학생 수(명)	4	9	5	7	25

1 피구를 좋아하는 학생은 몇 명일까요?

( )

2 가장 적은 학생이 좋아하는 운동은 무엇일까요?

( )

3 지은이가 좋아하는 운동은 무엇일까요?

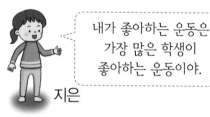

내가 좋아하는 운동은
가장 많은 학생이
좋아하는 운동이야.

지은

( )

4 좋아하는 학생이 가장 많은 운동부터 순서대로 써 보세요.

( )

[5~8] 동현이는 반 학생들이 좋아하는 꽃을 조사하였습니다. 물음에 답하세요.

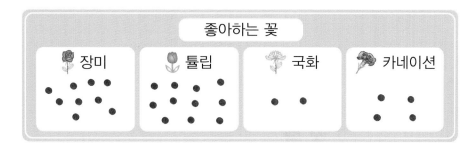

5 동현이가 조사한 것은 무엇일까요?

( )

6 조사한 자료를 보고 표로 나타내어 보세요.

학생들이 좋아하는 꽃

종류	장미	튤립	국화	카네이션	합계
학생 수(명)					

7 조사한 학생은 모두 몇 명인지 구해 보세요.

( )

8 튤립을 좋아하는 학생은 국화를 좋아하는 학생보다 몇 명 더 많은지 구해 보세요.

( )

[9~12] 은경이네 학교 3학년 학생들이 좋아하는 계절을 조사하여 나타낸 표입니다. 물음에 답하세요.

학생들이 좋아하는 계절

계절	봄	여름	가을	겨울	합계
남학생 수(명)	14	18		12	65
여학생 수(명)	15	20	24	11	70

9 가을을 좋아하는 남학생은 몇 명일까요?

( )

10 가장 많은 남학생이 좋아하는 계절은 무엇일까요?

( )

11 은경이네 학교 3학년 학생은 모두 몇 명일까요?

( )

12 여름을 좋아하는 학생은 남학생과 여학생 중 어느 쪽이 몇 명 더 많은지 구해 보세요.

( ), ( )

[13~15] 준형이가 방과 후 로봇 만들기 반 학생들이 좋아하는 간식을 조사하였습니다. 물음에 답하세요.

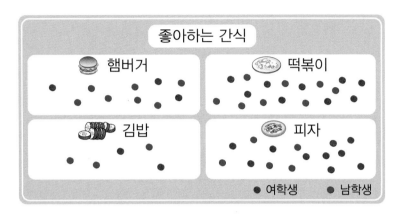

13 준형이가 조사한 것은 무엇일까요?

(   )

14 조사한 자료를 보고 표로 나타내어 보세요.

간식	햄버거	떡볶이	김밥	피자	합계
여학생 수(명)					
남학생 수(명)					

15 떡볶이를 좋아하는 남학생은 김밥을 좋아하는 여학생의 몇 배인지 구해 보세요.

(   )

개념 ③ 그림그래프 알아보기

알려고 하는 수(조사한 수)를 그림으로 나타낸 그래프를 그림그래프라고 합니다.

도서관을 이용한 학생 수

요일	학생 수
월요일	☺ ☺ ☺ ☺ ☺ ☺ ☺ → 34명
화요일	☺ ☺ ☺ ☺ ☺ ☺ ☺ → 25명
수요일	☺ ☺ ☺ ☺ ☺ → 50명
목요일	☺ ☺ ☺ ☺ ☺ → 32명
금요일	☺ ☺ ☺ ☺ ☺ → 41명

☺ 10명
☺ 1명

① ☺은 10명, ☺은 1명을 나타냅니다.

② 월요일에 도서관을 이용한 학생은 ☺ 3개, ☺ 4개로 34명입니다.

③ 도서관을 가장 많이 이용한 요일은 수요일입니다.
→ 큰 그림의 수가 가장 많은 요일

④ 도서관을 가장 적게 이용한 요일은 화요일입니다.
→ 큰 그림의 수가 가장 적은 요일

➡ 그림그래프는 도서관을 이용한 학생 수를 한눈에 비교하기에 편리합니다.

그림그래프의 길이가 길다고
학생 수가 많은 것은 아니에요.

개념 Check

🎓 그림그래프를 보고 알 수 있는 점을 바르게 말한 친구를 찾아 ◯표 하세요.

도서관에서 빌린 책

역사책은
6권 빌렸구나.

종류	책의 수
소설책	▱ ▱ ▱ ▱
역사책	▱ ▱ ▱ ▱ ▱ ▱
과학책	▱ ▱

▱ 10권
▱ 1권

소설책을 가장
많이 빌렸네.

1 꽃 가게에서 하루 동안 팔린 꽃의 수를 그림그래프로 나타내었습니다. ☐ 안에 알맞은 수나 말을 써넣으세요.

하루 동안 팔린 꽃의 수

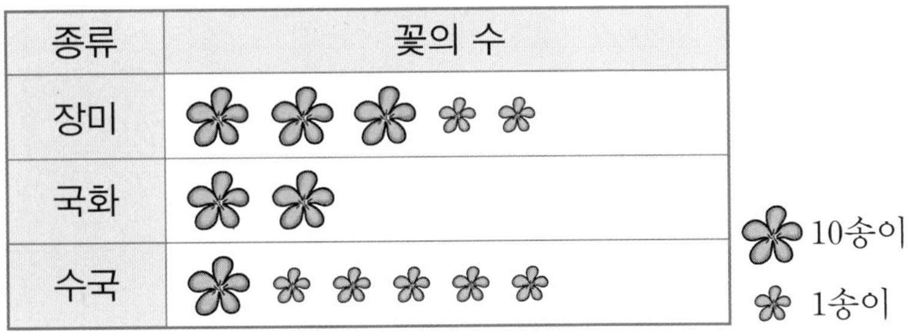

종류	꽃의 수
장미	🌸 🌸 🌸 ✿ ✿
국화	🌸 🌸
수국	🌸 ✿ ✿ ✿ ✿ ✿

🌸 10송이
✿ 1송이

(1) 위와 같이 조사한 수를 그림으로 나타낸 그래프를 ☐☐☐☐☐☐(이)라고 합니다.

(2)  🌸은 ☐ 송이, ✿은 ☐ 송이를 나타냅니다.

(3) 하루 동안 장미는 ☐ 송이, 국화는 ☐ 송이, 수국은 ☐ 송이 팔렸습니다.

2 마을별 사과 생산량을 조사하여 그림그래프로 나타내었습니다. 물음에 답하세요.

마을별 사과 생산량

마을	생산량
햇빛	🍎 🍎 🍎 🍎 🍎
달빛	🍎 🍎 🍎 🍎 🍎 🍎 🍎
별빛	🍎 🍎 🍎 🍎 🍎 🍎 🍎
은빛	🍎 🍎 🍎 🍎 🍎 🍎

🍎 10상자
🍎 1상자

(1) 별빛 마을의 사과 생산량은 몇 상자일까요?

(   )

(2) 사과 생산량이 가장 많은 마을은 어디일까요?

(   )

개념 **4** 그림그래프로 나타내기

• 표를 보고 그림그래프로 나타내기

마을별 학생 수

마을	초원	푸른	고운	햇살	합계
학생 수(명)	25	37	41	29	132

└──→ ① 단위를 몇 가지로 나타낼지 정하기

방법1 2개의 단위로 그리기

마을별 학생 수 →④ 알맞은 제목 붙이기

마을	학생 수
초원	◎◎○○○○○
푸른	◎◎◎○○○○○○○
고운	◎◎◎◎○
햇살	◎◎○○○○○○○○○

③ 조사한 수에 맞게 그림 그리기

◎ 10명   ○ 1명

└──→ ② 어떤 그림으로 나타낼지 정하기

방법2 3개의 단위로 그리기

마을별 학생 수

마을	학생 수
초원	◎◎○
푸른	◎◎◎○○○
고운	◎◎◎◎○
햇살	◎◎○○○○○

◎ 10명   ○ 5명   ○ 1명

• 표와 그림그래프 비교하기

	표	그림그래프
장점	각각의 자료의 수와 합계를 쉽게 알 수 있습니다.	각각의 자료의 수와 크기를 한눈에 비교할 수 있습니다.
단점	각각의 자료를 서로 비교하기 불편합니다.	합계를 한눈에 알 수 없습니다.

1 외국 학생들이 좋아하는 한국 음식을 조사하여 표로 나타내었습니다. 물음에 답하세요.

외국 학생들이 좋아하는 한국 음식

음식	닭갈비	떡갈비	불고기	비빔밥	합계
학생 수(명)	22	31	41	13	107

(1) 표를 보고 그림그래프로 나타내려고 합니다. 그림을 몇 가지로 나타내는 것이 좋을까요?

(   )

(2) 표를 보고 그림그래프를 완성해 보세요.

외국 학생들이 좋아하는 한국 음식

음식	학생 수
닭갈비	◎ ◎ ○ ○
떡갈비	
불고기	
비빔밥	

◎ 10명
○ 1명

2 연우네 학교 3학년 학생들이 기르고 싶어 하는 동물을 조사하여 표로 나타내었습니다. 표를 보고 그림그래프로 나타내어 보세요.

학생들이 기르고 싶어 하는 동물

동물	개	고양이	금붕어	거북	합계
학생 수(명)	87	75	18	50	230

학생들이 기르고 싶어 하는 동물

동물	학생 수
개	◎◎◎◎◎◎◎◎△○○
고양이	
금붕어	
거북	

◎ 10명
△ 5명
○ 1명

준비물 붙임딱지

샛별 마트의 월별 아이스크림 판매량을 조사하여 나타낸 표입니다.
그림그래프를 완성하고 빈 곳에 알맞게 써넣으세요.

월별 아이스크림 판매량

월	6월	7월	8월	9월	합계
판매량(개)	240	430	450	330	1450

월별 아이스크림 판매량

월	판매량
6월	
7월	
8월	
9월	

 100개   10개

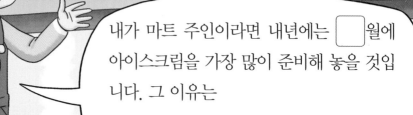

내가 마트 주인이라면 내년에는 ☐ 월에 아이스크림을 가장 많이 준비해 놓을 것입니다. 그 이유는

_____

_____

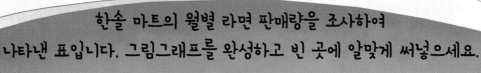

한솔 마트의 월별 라면 판매량을 조사하여
나타낸 표입니다. 그림그래프를 완성하고 빈 곳에 알맞게 써넣으세요.

월별 라면 판매량

월	9월	10월	11월	12월	합계
판매량(개)	430	240	320	210	1200

월별 라면 판매량

월	판매량
9월	
10월	
11월	
12월	

 100개   10개

내가 마트 주인이라면 내년에는
☐월에 라면을 가장 적게 준비해
놓을 것입니다. 그 이유는

_____

_____

6

단원

1 민지가 친구들과 줄넘기를 한 횟수를 그림그래프로 나타내었습니다. 물음에 답하세요.

친구들과 줄넘기를 한 횟수

이름	줄넘기 횟수
민지	👣👣👣👣👣
수호	👣👣👣👣👣👣👣
은희	👣👣👣👣👣
영우	👣👣👣👣👣

👣 10회   👣 1회

(1) 그림 👣과 👣은 각각 몇 회를 나타내고 있을까요?

👣 (   )

👣 (   )

(2) 민지, 수호, 은희, 영우가 줄넘기를 한 횟수를 각각 써 보세요.

민지 (   )

수호 (   )

은희 (   )

영우 (   )

(3) 줄넘기를 가장 많이 한 친구의 이름을 써 보세요.

(   )

2 마을별 포도 생산량을 그림그래프로 나타내었습니다. 물음에 답하세요.

마을별 포도 생산량

마을	생산량
사랑	📦📦📦
행복	📦📦📦📦📦
보람	📦📦📦
기쁨	📦📦📦

📦100상자   📦10상자

(1) 그림 📦과 📦은 각각 몇 상자를 나타내고 있을까요?

📦 (   )

📦 (   )

(2) 포도 생산량이 가장 적은 마을은 어디이고 몇 상자일까요?

(   ),

(   )

(3) 행복 마을과 보람 마을 중에서 포도 생산량이 더 많은 마을은 어디일까요?

(   )

3 아이스크림 가게에서 하루 동안 팔린 아이스크림의 수를 조사하여 표로 나타내었습니다. 물음에 답하세요.

하루 동안 팔린 아이스크림의 수

맛	초코	딸기	바닐라	녹차	합계
판매량 (개)	23	31	14	21	89

(1) 표를 보고 그림그래프로 나타낼 때 단위를 몇 가지로 나타내는 것이 좋을까요?

(   )

(2) 표를 보고 그림그래프로 나타내려고 합니다. 단위를 ◎과 ○으로 나타낸다면 각각 몇 개로 나타내야 할까요?

◎ (   )
○ (   )

(3) 표를 보고 그림그래프를 완성해 보세요.

하루 동안 팔린 아이스크림의 수

맛	판매량
초코	◎ ◎ ○ ○ ○
딸기	
바닐라	
녹차	

◎ 10개 ○ 1개

4 초등학교별 독감 예방 접종을 한 학생 수를 조사하여 표로 나타내었습니다. 물음에 답하세요.

독감 예방 접종을 한 학생 수

학교	가람	예지	소망	하늘	합계
학생 수 (명)	41	17	30	25	113

(1) 표를 보고 ◎은 10명, ○은 1명으로 하여 그림그래프로 나타내어 보세요.

독감 예방 접종을 한 학생 수

학교	학생 수
가람	
예지	
소망	
하늘	

◎ 10명 ○ 1명

(2) 표를 보고 ◎은 10명, △은 5명, ○은 1명으로 하여 그림그래프로 나타내어 보세요.

독감 예방 접종을 한 학생 수

학교	학생 수
가람	
예지	
소망	
하늘	

◎ 10명 △ 5명 ○ 1명

6 단원

[1~4] 명철이네 마을의 과수원에서 일주일 동안 수확한 복숭아의 양을 조사하여 나타낸 그림그래프입니다. 물음에 답하세요.

과수원별 복숭아 수확량

과수원	수확량
가	
나	
다	
라	

🍑 100상자
🍑 10상자

1 그림 🍑 과 🍑 는 각각 몇 상자를 나타낼까요?

🍑 (   )

🍑 (   )

2 라 과수원에서 일주일 동안 수확한 복숭아는 모두 몇 상자일까요?

(   )

3 복숭아 수확량이 350상자인 과수원을 써 보세요.

(   )

4 복숭아 수확량이 가장 많은 과수원은 어느 과수원일까요?

(   )

정답과 풀이 p.42

[5~8] 현지네 반 학생들이 도서관에서 빌린 책의 수를 그림그래프로 나타내었습니다. 물음에 답하세요.

월별 빌린 책의 수

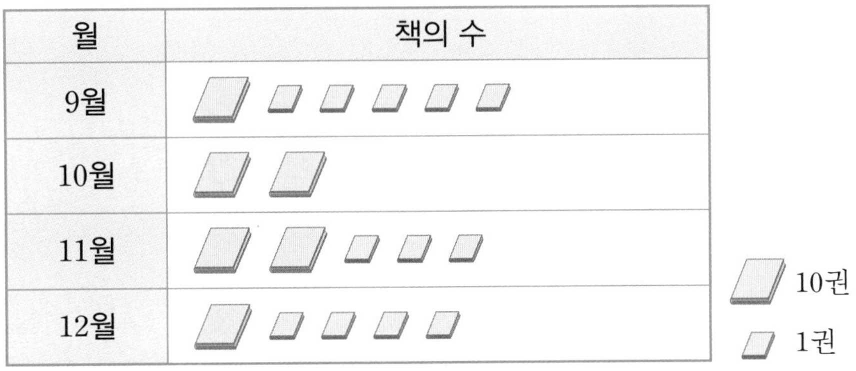

월	책의 수
9월	
10월	
11월	
12월	

📗 10권
📄 1권

5 그림  📗 과 📄 은 각각 몇 권을 나타낼까요?

📗 (   )

📄 (   )

6 그림그래프를 보고 표를 완성해 보세요.

월별 빌린 책의 수

월	9월	10월	11월	12월	합계
책의 수(권)					

7 빌린 책의 수가 9월보다 적은 달을 써 보세요.

(   )

8 빌린 책의 수가 많은 달부터 순서대로 써 보세요.

(   )

6 단원

[9~12] 어느 마을의 한 달 동안 만든 공장별 의자 생산량을 조사하여 나타낸 표입니다. 물음에 답하세요.

공장별 의자 생산량

공장	가	나	다	라	합계
생산량(개)	370	250	520	460	1600

9 표를 보고 그림그래프로 나타낼 때 각 그림에 적당한 단위를 써 보세요.

○ (   )

△ (   )

10 표를 보고 ○을 100개, △을 10개로 하여 그림그래프로 나타내려고 합니다. 가 공장의 의자 생산량은 다음 그림을 각각 몇 개씩 그려야 할까요?

○ (   ), △ (   )

11 표를 보고 그림그래프를 완성해 보세요.

공장별 의자 생산량

공장	생산량
가	
나	
다	
라	

○ 100개
△ 10개

12 의자 생산량이 가장 많은 공장은 어느 공장인지 써 보세요.

(   )

정답과 풀이 p.42

[13~15] 선영이네 학교 3학년 학생들이 좋아하는 과목을 조사하여 나타낸 표입니다. 물음에 답하세요.

좋아하는 과목별 학생 수

과목	국어	수학	사회	과학	합계
학생 수(명)	38	56	42	47	183

13 표를 보고 그림그래프로 나타낼 때 ◎는 10명, △는 5명, □는 1명으로 나타내려고 합니다. 그림그래프를 완성해 보세요.

좋아하는 과목별 학생 수

과목	학생 수
국어	
수학	
사회	
과학	

◎ 10명 △ 5명 □ 1명

14 선영이네 학교 3학년 학생들이 가장 좋아하는 과목은 무엇일까요?

( )

15 수학을 좋아하는 학생은 과학을 좋아하는 학생보다 몇 명이 더 많은지 구해 보세요.

( )

[1~2] 유미네 학교 3학년 학생들이 좋아하는 민속놀이를 조사하여 표로 나타내었습니다. 물음에 답하세요.

학생들이 좋아하는 민속놀이

민속놀이	연날리기	제기차기	팽이치기	윷놀이	합계
학생 수(명)	33		21	45	125

1 제기차기를 좋아하는 학생은 몇 명일까요?

( )

2 좋아하는 학생이 가장 많은 민속놀이부터 순서대로 써 보세요.

( )

[3~4] 민우네 학교 3학년 학생들이 생일에 받고 싶은 선물을 조사하여 그림그래프로 나타내었습니다. 물음에 답하세요.

생일에 받고 싶은 선물

선물	학생 수
휴대 전화	☺ ☺ ☺ ☺ ☺ ☺ ☺
게임기	☺ ☺ ☺
인형	☺ ☺ ☺ ☺ ☺ ☺ ☺
블록	☺ ☺ ☺

☺ 10명
☺ 1명

3 가장 많은 학생이 생일에 받고 싶은 선물은 무엇이고, 몇 명이 받고 싶어하는지 써 보세요.

( ), ( )

4 게임기를 받고 싶은 학생과 인형을 받고 싶은 학생 수의 차는 몇 명인지 구해 보세요.

( )

[5~8] 지우네 반 학생들이 즐겨 보는 TV 프로그램을 조사하였습니다. 물음에 답하세요.

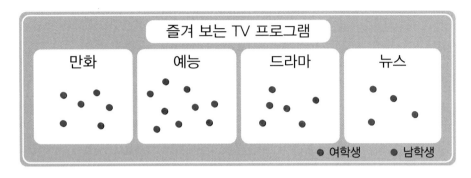

5 조사한 자료를 보고 표를 완성해 보세요.

즐겨 보는 TV 프로그램

프로그램	만화	예능	드라마	뉴스	합계
여학생 수(명)	2				
남학생 수(명)	4				

6 가장 많은 남학생이 즐겨 보는 TV 프로그램은 무엇일까요?

(   )

7 가장 많은 여학생이 즐겨 보는 TV 프로그램부터 순서대로 써 보세요.

(   )

8 지우네 반 학생은 모두 몇 명일까요?

(   )

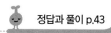

[9~12] 어느 분식점에서 하루 동안 팔린 음식의 수를 조사하여 표로 나타내었습니다. 물음에 답하세요.

하루 동안 팔린 음식의 수

음식	김밥	떡볶이	순대	어묵	합계
판매량(인분)	32	24	13	51	120

9 표를 보고 그림그래프로 나타내어 보세요.

하루 동안 팔린 음식의 수

음식	판매량
김밥	
떡볶이	
순대	
어묵	

◎ 10인분
○ 1인분

10 하루 동안 가장 많이 팔린 음식부터 순서대로 써 보세요.

( )

11 내가 분식점 주인이라면 내일은 어떤 음식을 많이 준비하면 좋을까요?

( )

12 하루 동안 가장 많이 팔린 음식을 알아보려면 표와 그림그래프 중 어느 것이 더 편리할까요?

( )

문제의 알맞은 곳에 붙임딱지를 붙여보세요.

10~11쪽

252 264 339 345 368

396 426 516 523 528

546 576 586 634 640

666 684 755 764 826

840 844 852 854 876

882 935 945 1324 1389

1626 1750 2200 2582 3905

4105 4160 4258 7048 7238

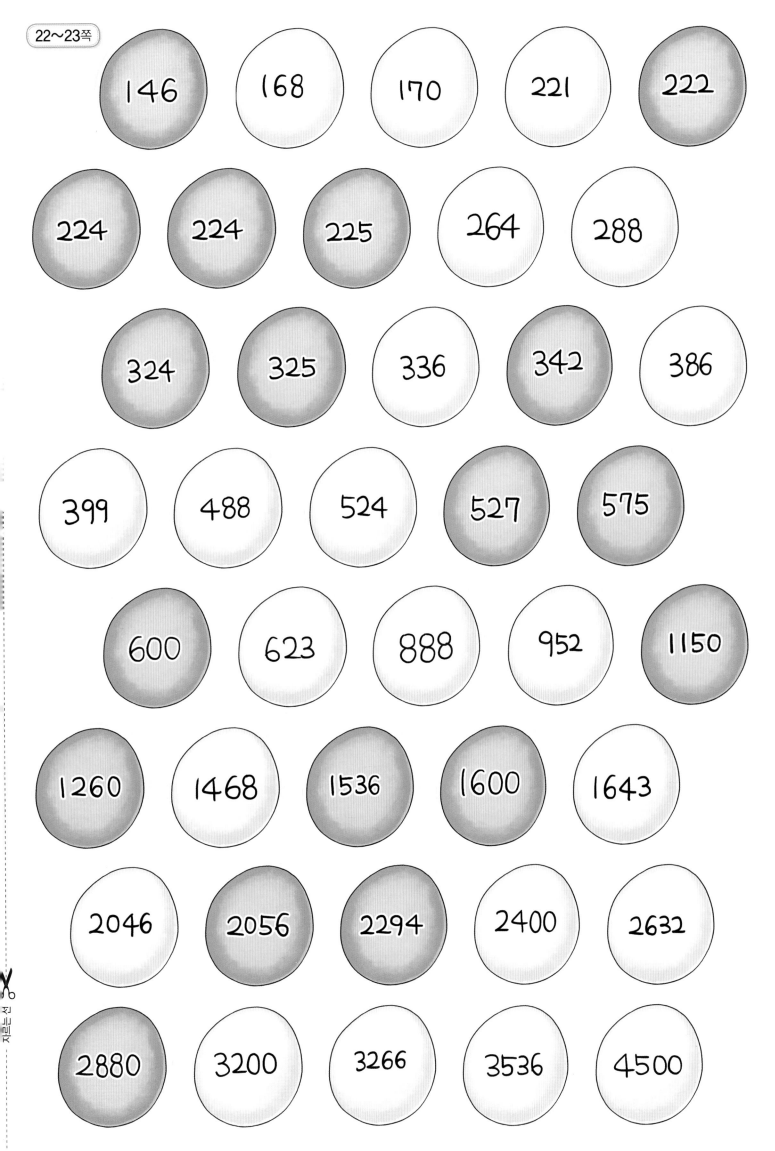

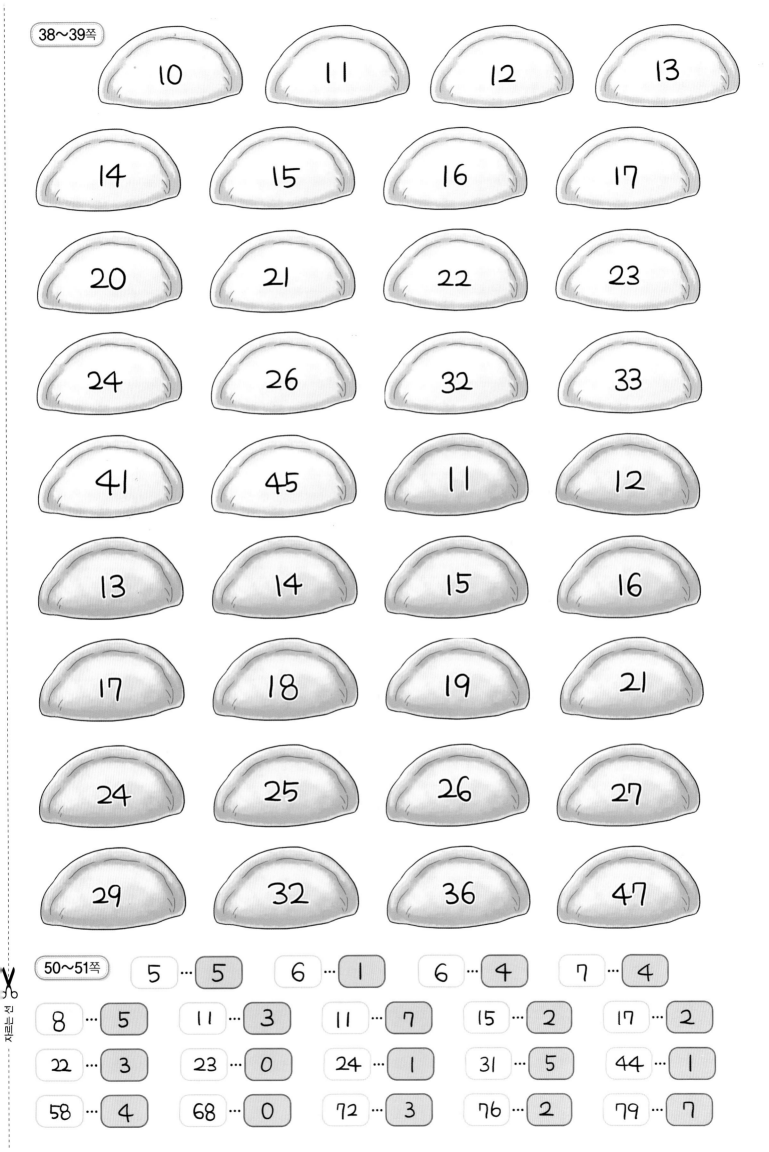

85 … 3	91 … 0	98 … 2	103 … 2	116 … 1
125 … 1	182 … 1	240 … 0	240 … 0	241 … 2

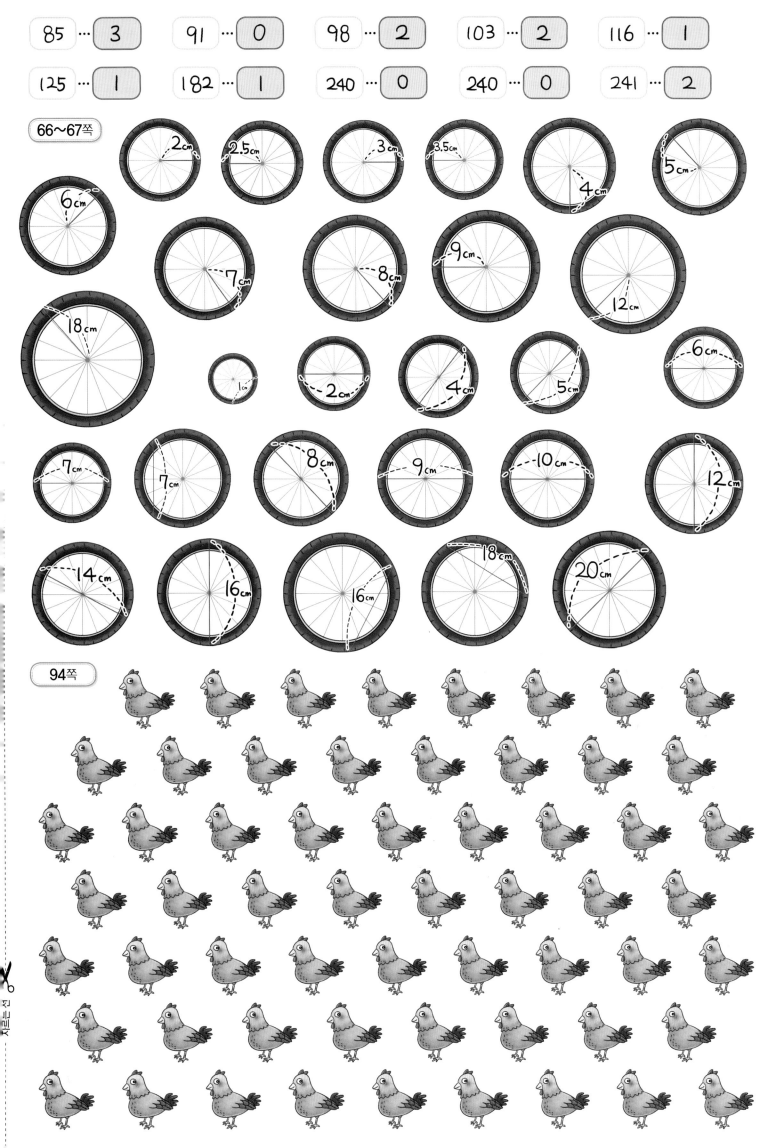

66~67쪽

94쪽

106~107쪽

$4\frac{1}{3}$ $\frac{17}{9}$ $\frac{2}{3}$ $7\frac{4}{9}$ $\frac{12}{8}$ $\frac{19}{4}$ $\frac{11}{13}$

$\frac{7}{10}$ $\frac{15}{7}$ $\frac{8}{9}$ $\frac{11}{11}$ $1\frac{2}{5}$ $2\frac{4}{11}$

$3\frac{4}{5}$ $\frac{4}{8}$

$1\frac{3}{4}$ $2\frac{3}{7}$ $3\frac{1}{7}$ $2\frac{3}{4}$ $3\frac{2}{9}$ $2\frac{3}{5}$ $3\frac{1}{5}$ $2\frac{7}{9}$

$\frac{21}{5}$ $\frac{32}{4}$ $\frac{13}{9}$ $\frac{14}{9}$ $\frac{14}{4}$ $\frac{26}{7}$ $\frac{24}{7}$ $\frac{41}{5}$

122~123쪽

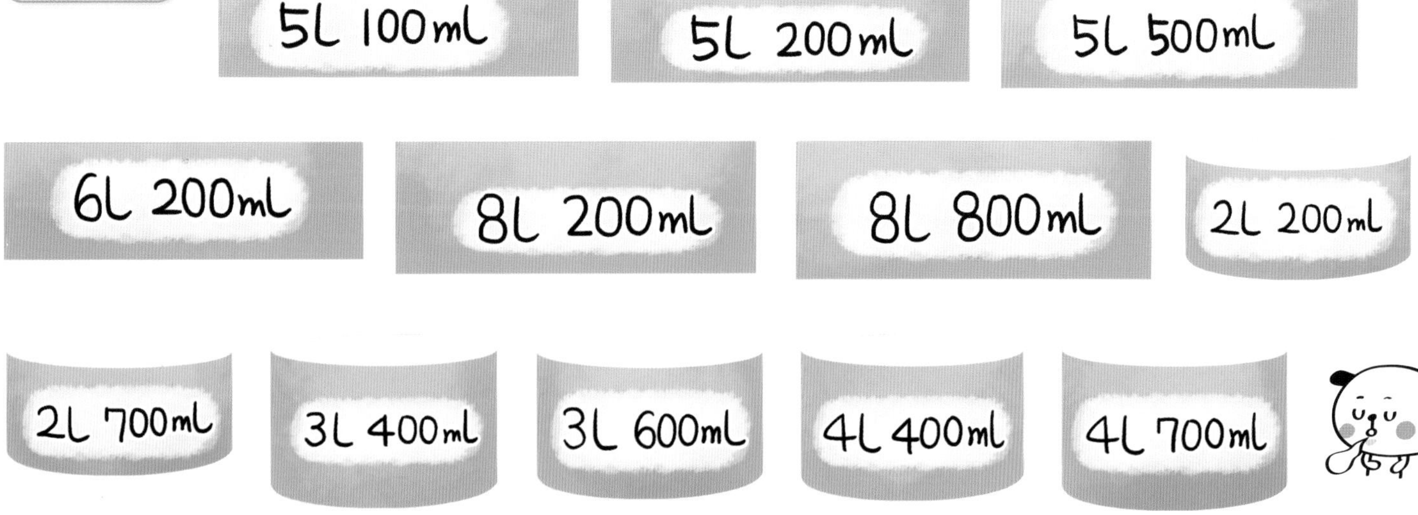

5L 100mL

5L 200mL

5L 500mL

6L 200mL

8L 200mL

8L 800mL

2L 200mL

2L 700mL

3L 400mL

3L 600mL

4L 400mL

4L 700mL

134~135쪽

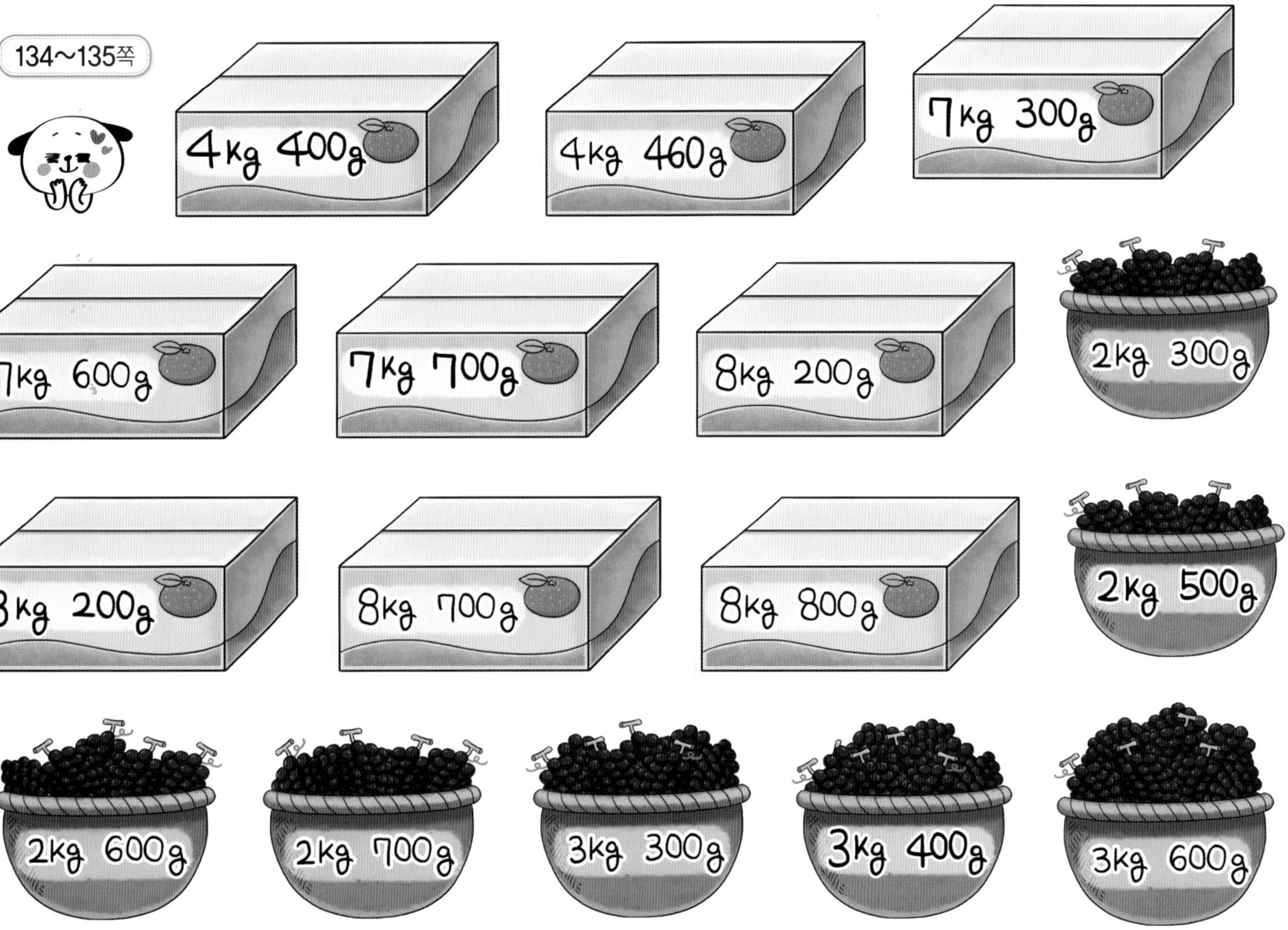

4kg 400g

4kg 460g

7kg 300g

7kg 600g

7kg 700g

8kg 200g

2kg 300g

8kg 200g

8kg 700g

8kg 800g

2kg 500g

2kg 600g

2kg 700g

3kg 300g

3kg 400g

3kg 600g

150쪽

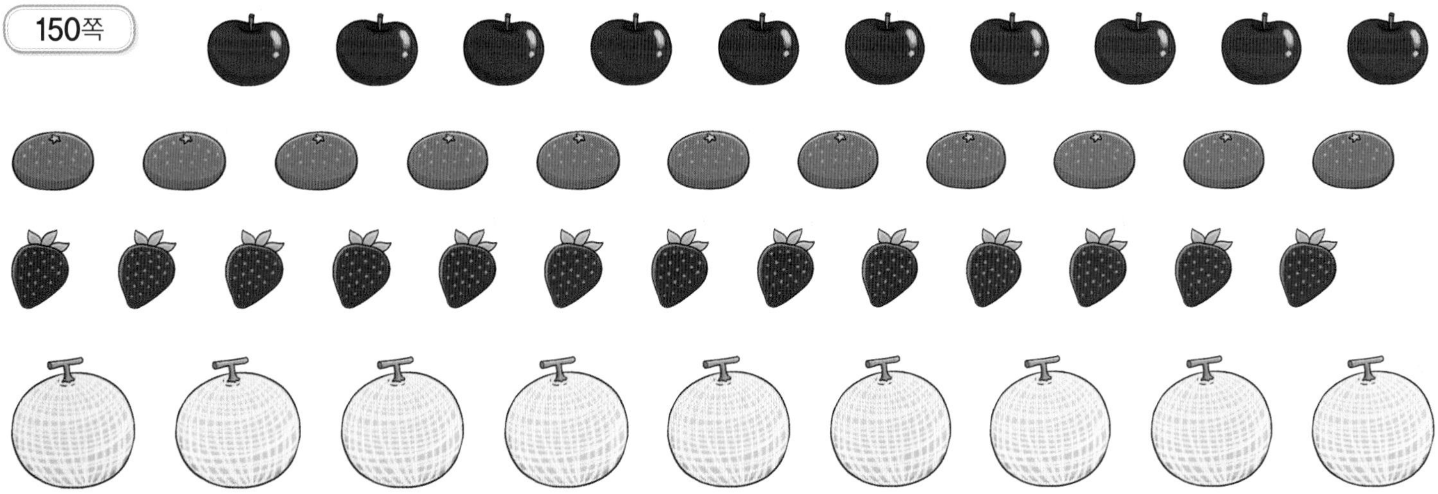

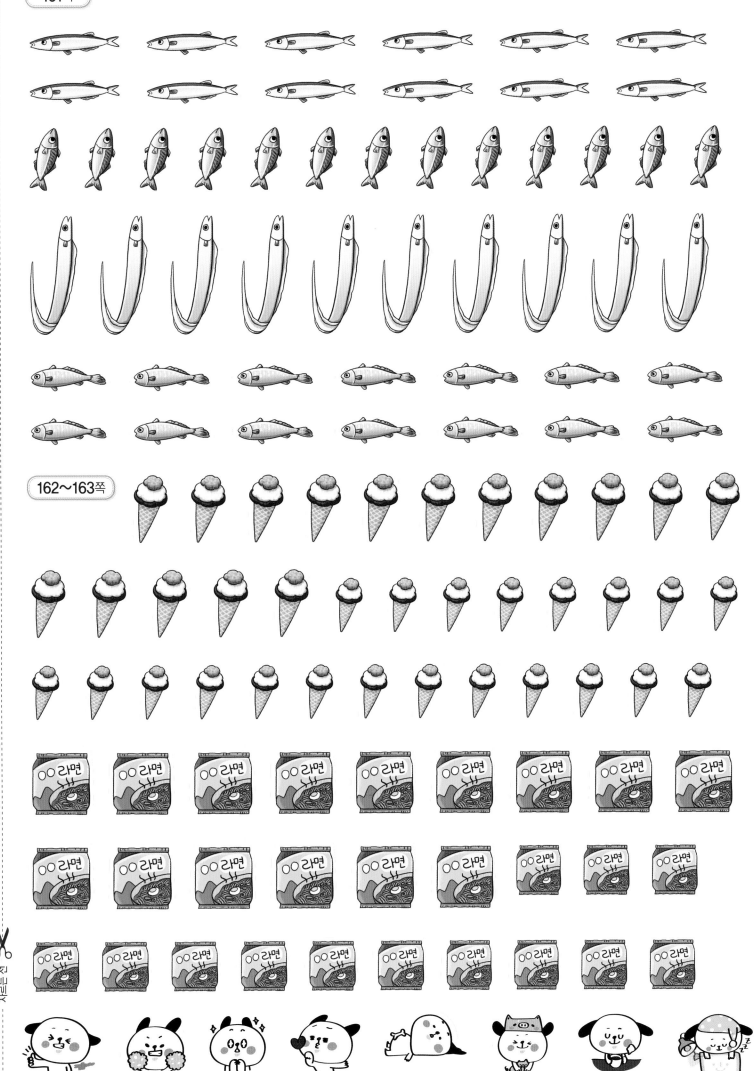

Go!
매쓰

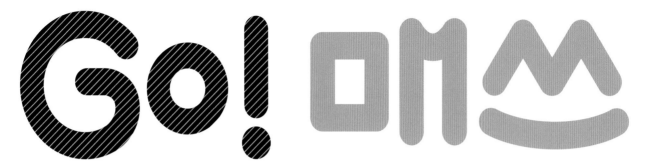

교과서 GO! 사고력 GO!

GO! 매쓰

Start
교과서 개념

정답과 풀이 · 수학 3-2

열심히
풀었으니까,
한 번 맞춰 볼까?

Go! 매쓰 Start

정답과 풀이

수학 **3**-2

교과서 개념 잡기

개념 ① (세 자리 수)×(한 자리 수) 구하기 (1) — 올림이 없음

· 213×3의 계산

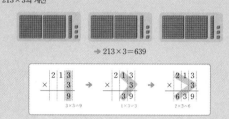

➡ 213×3=639

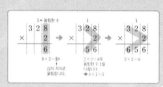

$3×3=9$ $1×3=3$ $2×3=6$

개념 ② (세 자리 수)×(한 자리 수) 구하기 (2) — 일의 자리에서 올림

· 328×2의 계산

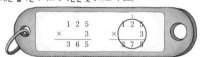

개념 Check

🔷 125×3은 얼마인지 바르게 계산한 것에 ◯표 하세요.

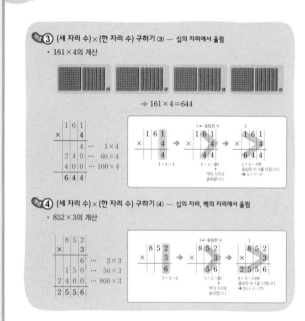

---

1 수 모형을 보고 122×4를 계산하려고 합니다. ☐ 안에 알맞은 수를 써넣으세요.

백 모형이 1×4=**4**(개), 십 모형이 2×4=**8**(개), 일 모형이 2×4=**8**(개)

이므로 122×4=**488**입니다.

✤ 백 모형이 4개, 십 모형이 8개, 일 모형이 8개이므로 488입니다.

2 ☐ 안에 알맞은 수를 써넣으세요.

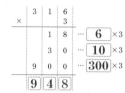

	3	1	6	
×			3	
		1	8	··· **6** ×3
		3	0	··· **10** ×3
	9	0	0	··· **300** ×3
	9	**4**	**8**	

✤ 316=300+10+6이므로 6×3, 10×3, 300×3을 각각 구하여 더합니다

3 계산해 보세요.

(1) 133×3=**399**   (2) 212×4=**848**

✤ (1)일의 자리 계산: 3×3=9   (2) 일의 자리 계산: 2×4=8
  십의 자리 계산: 3×3=9   십의 자리 계산: 1×4=4
  백의 자리 계산: 1×3=3   백의 자리 계산: 2×4=8

4 보기와 같이 계산해 보세요.

보기

	4	3	7
×			2
	8	7	4

(1) 215×4=**860**   (2) 329×3=**987**

✤ 일의 자리에서 올림한 수는 십의 자리 위에 작게 쓴 후 십의 자리의 곱에 더합니다.

교과서 개념 잡기

개념 ③ (세 자리 수)×(한 자리 수) 구하기 (3) — 십의 자리에서 올림

· 161×4의 계산

➡ 161×4=644

개념 ④ (세 자리 수)×(한 자리 수) 구하기 (4) — 십의 자리, 백의 자리에서 올림

· 852×3의 계산

개념 Check

🔷 273×3은 얼마인지 바르게 계산한 친구를 찾아 ◯표 하세요.

---

1 수 모형을 보고 ☐ 안에 알맞은 수를 써넣으세요.

✤ 백 모형이 2×3=6(개), 252×3=**756**
  십 모형이 5×3=15(개), 일 모형이 2×3=6(개)입니다.
  십 모형 10개를 백 모형 1개로 바꾸면 백 모형이 7개, 십 모형이 5개.

2 ☐ 안에 알맞은 수를 써넣으세요.   일 모형이 6개이므로 756입니다.

	6	3	1	
×			5	
			5	··· 1×5
	1	5	0	··· 30×5
3	0	0	0	··· 600×5
3	1	5	5	

✤ 631=600+30+1이므로 1×5, 30×5, 600×5를 각각 구하여 더합니다.

3 보기와 같이 계산해 보세요.

보기

	1	7	2
×			4
	6	8	8

(1) 462×2=**924**   (2) 293×3=**879**

✤ 십의 자리에서 올림한 수는 백의 자리 위에 작게 쓴 후 백의 자리의 곱에 더합니다.

4 계산해 보세요.

(1) 564×2=**1128**   (2) 341×6=**2046**

교과서 개념 play · 딸기 포장하기

계산 결과가 써 있는 딸기 붙임딱지를 붙여서 딸기를 포장해 보세요.

882 666 844
826 426 339 396

올림이 없는 (세 자리 수) × (한 자리 수)

345 684 876 854

❖ 올림한 수는 바로 윗자리의 곱에 더합니다.

945 852 634 252

일의 자리에서 올림이 있는 (세 자리 수) × (한 자리 수)

546 368 576 528
586 764 516 755

십의 자리에서 올림이 있는 (세 자리 수) × (한 자리 수)

2200 3905 4160 7048
4105 1626 1389 1750

십의 자리, 백의 자리에서 올림이 있는 (세 자리 수) × (한 자리 수)

1 단원

집중! 드릴 문제

정답과 풀이 p.3

[1~10] 계산해 보세요.

1
```
    3 3 2
  ×     3
  ─────
    9 9 6
```

2
```
    2 3 4
  ×     2
  ─────
    4 6 8
```

3
```
      1
    1 1 7
  ×     4
  ─────
    4 6 8
```

❖ 올림한 수는 바로 윗자리에 작게 쓰고
그 자리를 계산할 때 같이 더해 줍니다.

4
```
      2
    3 1 9
  ×     3
  ─────
    9 5 7
```

5
```
      2
    1 0 4
  ×     6
  ─────
    6 2 4
```

6
```
    1
    4 8 2
  ×     2
  ─────
    9 6 4
```

7
```
      2
    1 6 0
  ×     4
  ─────
    6 4 0
```

8
```
    1
    4 2 1
  ×     5
  ─────
  2 1 0 5
```

9
```
      2
    6 7 3
  ×     3
  ─────
  2 0 1 9
```

10
```
    6
    5 9 0
  ×     7
  ─────
  4 1 3 0
```

[11~20] 계산해 보세요.

11 $314 \times 2 = 628$
```
❖   3 1 4
  ×     2
  ─────
    6 2 8
```

12 $211 \times 3 = 633$
```
❖   2 1 1
  ×     3
  ─────
    6 3 3
```

13 $123 \times 3 = 369$
```
    1 2 3
  ×     3
  ─────
    3 6 9
```

14 $114 \times 6 = 684$
```
❖     2
    1 1 4
  ×     6
  ─────
    6 8 4
```

15 $108 \times 5 = 540$
```
❖     4
    1 0 8
  ×     5
  ─────
    5 4 0
```

16 $262 \times 3 = 786$
```
❖     1
    2 6 2
  ×     3
  ─────
    7 8 6
```

17 $170 \times 5 = 850$
```
❖   3
    1 7 0
  ×     5
  ─────
    8 5 0
```

18 $562 \times 2 = 1124$
```
❖     1
    5 6 2
  ×     2
  ─────
  1 1 2 4
```

19 $341 \times 7 = 2387$
```
❖     2
    3 4 1
  ×     7
  ─────
  2 3 8 7
```

20 $482 \times 4 = 1928$
```
❖     3
    4 8 2
  ×     4
  ─────
  1 9 2 8
```

1 단원

1 수 모형을 보고 □ 안에 알맞은 수를 써넣으세요.

$$244 \times 2 = 488$$

✤ 백 모형이 $2 \times 2 = 4$(개), 십 모형이 $4 \times 2 = 8$(개),
일 모형이 $4 \times 2 = 8$(개)이므로 $244 \times 2 = 488$입니다.

2 계산해 보세요.

```
(1)   3 1 2        (2)   2 2 3
    ×     2            ×     3
    ─────────          ─────────
      6 2 4              6 6 9
```

3 □ 안에 알맞은 수를 써넣으세요.

```
        3 2 7
      ×     3
      ─────────
        2 1  … [7]×3
        6 0  … [20]×3
      9 0 0  … [300]×3
      ─────────
      9 8 1
```

✤ $327 = 300 + 20 + 7$이므로 7×3, 20×3, 300×3을 각각
구하여 더합니다.

4 보기와 같이 계산해 보세요.

```
보기
         1
     2 0 6
   ×     3
   ─────────
     6 1 8
```

```
(1)       1
      1 2 3
    ×     4
    ─────────
      4 9 2
```

```
(2)   2
    5 7 2
  ×     3
  ─────────
  1 7 1 6
```

5 계산해 보세요.

(1) $438 \times 2 = 876$ (2) $171 \times 5 = 855$

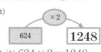

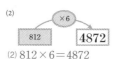

6 빈칸에 알맞은 수를 써넣으세요.

(1) 624 —×2→ **1248**   (2) 812 —×6→ **4872**

✤ (1) $624 \times 2 = 1248$ (2) $812 \times 6 = 4872$

7 보기와 같이 두 가지 방법으로 계산해 보세요.

```
보기
       841        2
     ×   6      841
     ─────    ×   6
       6      ─────
     240      5046
   4800
   ─────
   5046
```

```
     572          2
   ×   8        572
   ─────      ×   4
     16       ─────
    280       2288
  2000
  ─────
  2288
```

8 다음 덧셈식을 곱셈식으로 나타내고 계산해 보세요.

$$361 + 361 + 361 + 361 + 361$$

→ $361 \times$ **5** = **1805**

✤ 361을 5번 더한 것이므로 361×5로 계산할 수 있습니다.
→ $361 \times 5 = 1805$

교과서 **개념 확인 문제**

9 잘못 계산한 곳을 찾아 바르게 계산해 보세요.

```
    1 8 2            1 8 2
  ×     3          ×     3
  ─────────        ─────────
        6                6
      2 4            2 4 0
    3 0 0            3 0 0
  ─────────        ─────────
    3 3 0            5 4 6
```

✤ 182에서 8은 십의 자리 숫자이므로 80을 나타냅니다.
따라서 곱해지는 수의 십의 자리를 곱할 때에는 80×3을 계산해야
하는데 $8 \times 3 = 24$로 잘못 계산했습니다.

10 빈칸에 알맞은 수를 써넣으세요.

```
         ×3
   218    3    654
   ×5
    5
  1090
```

✤ $218 \times 3 = 654$, $218 \times 5 = 1090$

11 계산 결과를 찾아 선으로 이어 보세요.

273×2		384
362×4		546
128×3		1448

✤ $273 \times 2 = 546$, $362 \times 4 = 1448$, $128 \times 3 = 384$

12 크기를 비교하여 ○ 안에 >, =, <를 알맞게 써넣으세요.

(1) 205×3 ⊙ 705

(2) 318×5 ⊙ 1500

✤ (1) $205 \times 3 = 615$ → $615 < 705$
(2) $318 \times 5 = 1590$ → $1590 > 1500$

13 계산을 바르게 한 친구를 찾아 이름을 써 보세요.

채연 $329 \times 3 = 977$ 홍기 $127 \times 5 = 635$ 지은 $542 \times 4 = 2068$

(**홍기**)

✤ 채연: $329 \times 3 = 987$
홍기: $127 \times 5 = 635$
지은: $542 \times 4 = 2168$
따라서 바르게 계산한 친구는 홍기입니다.

14 사탕 1개의 가격은 530원입니다. 똑같은 사탕 7개의 가격은 얼마인지 구해 보세요.

(**3710원**)

✤ $530 \times 7 = 3710$(원)

교과서 개념 잡기

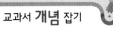

정답과 풀이 p.5

개념 ⑤ (몇십)×(몇십), (몇십몇)×(몇십) 구하기

· 40×30의 계산

> **방법1** 40과 30의 3을 먼저 곱한 다음 10을 곱하기
> $40×30=40×3×10$
> $=120×10=1200$

> **방법2** 40의 4와 30의 3을 먼저 곱한 다음 10을 두 번 곱하기
> $40×30=4×3×10×10$
> $=12×100=1200$

· 13×20의 계산

> **방법1** 13에 10을 먼저 곱한 다음 2를 곱하기
> $13×20=13×10×2$
> $=130×2=260$

> **방법2** 13에 2를 먼저 곱한 다음 10을 곱하기
> $13×20=13×2×10$
> $=26×10=260$

개념 ⑥ (몇)×(몇십몇) 구하기

· 7×23의 계산

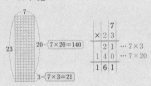

 개념 Check

36×40의 계산 방법을 바르게 나타낸 친구를 찾아 ○표 하세요.

$36×40$
$=36×10×30$

$36×40$
$=36×4×10$

18 · Start 3-2

---

1 ☐ 안에 알맞은 수를 써넣으세요.

(1) $70×20=70×2×10$
$=140×\boxed{10}$
$=\boxed{1400}$

(2) $30×50=3×5×10×10$
$=15×\boxed{100}$
$=\boxed{1500}$

❖ (1) 70과 20의 2를 먼저 곱한 다음 10을 곱합니다.
(2) 30의 3과 50의 5를 먼저 곱한 다음 10을 두 번 곱합니다.

2 ☐ 안에 알맞은 수를 써넣으세요.

(1)
```
    5
 ×  4 3
    1 5  ··· 5×[3]
  2 0 0  ··· 5×[40]
  2 1 5
```

(2)
```
      8
 ×    5 2
  [1 6]  ··· 8×2
  4 0 0  ··· 8×50
  4 1 6
```

❖ (1) 43=40+3이므로 5×3과 5×40을 각각 구하여 더합니다.
(2) 52=50+2이므로 8×2와 8×50을 각각 구하여 더합니다.

3 계산해 보세요.

(1) $60×40=\boxed{2400}$
❖ (1) $60×40$
$=6×4×10×10$
$=24×100$
$=2400$

(2) $28×30=\boxed{840}$
❖ (2) $28×30$
$=28×3×10$
$=84×10$
$=840$

4 계산해 보세요.

(1)
```
    1
    1 4
 ×  2 3
    9 2
```

(2)
```
    2
    2 7
 ×  5 4
  3 7 8
```

1. 곱셈 · 19

교과서 개념 잡기

정답과 풀이 p.5

개념 ⑦ (몇십몇)×(몇십몇) 구하기 (1) — 올림이 한 번

· 27×13의 계산

$27×10=270$
$27×3=81$
$27×13=351$

13=10+3이므로 27×13은 27×10과 27×3의 합으로 구해요.

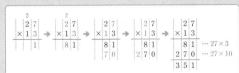

개념 ⑧ (몇십몇)×(몇십몇) 구하기 (2) — 올림이 여러 번

· 64×25의 계산

$64×5$와 $64×20$의 합으로 구합니다.

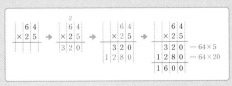

20 · Start 3-2

---

1 ☐ 안에 알맞은 수를 써넣으세요.

$24×14=24×10+24×4$
$=240+\boxed{96}$
$=\boxed{336}$

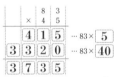
```
    2 4
 ×  1 4
    9 6
  2 4 0
  3 3 6
```

❖ 14=10+4이므로 24×10과 24×4의 합으로 구합니다.

2 ☐ 안에 알맞은 수를 써넣으세요.

```
      8 3
 ×    4 5
    4 1 5  ··· 83×[5]
  3 3 2 0  ··· 83×[40]
  3 7 3 5
```

❖ 45=40+5이므로 83×5와 83×40을 각각 구하여 더합니다.

3 계산해 보세요.

(1)
```
    1 9
 ×  1 3
    5 7
  1 9 0
  2 4 7
```

(2)
```
    3 7
 ×  4 2
    7 4
  1 4 8 0
  1 5 5 4
```

4 빈칸에 두 수의 곱을 써넣으세요.

(1)

26	12
312	

(2)

43	69
2967	

❖
```
    2 6
 ×  1 2
    5 2
  2 6 0
  3 1 2
```

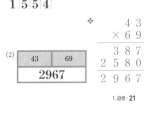
```
    4 3
 ×  6 9
    3 8 7
  2 5 8 0
  2 9 6 7
```

1. 곱셈 · 21

정답과 풀이 · 5

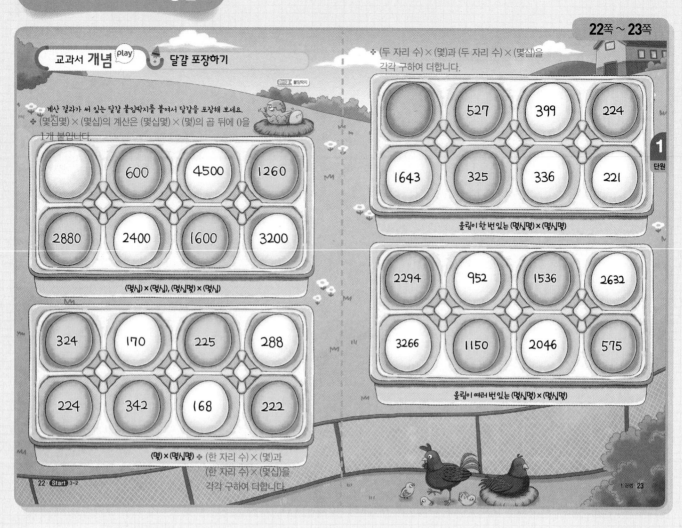

교과서 **개념** (play) 달걀 포장하기

❖ 계산 결과가 써 있는 달걀 붙임딱지를 붙여서 달걀을 포장해 보세요.
❖ (몇십몇)×(몇십)의 계산은 (몇십몇)×(몇)의 곱 뒤에 0을 1개 붙입니다.

| | 600 | 4500 | 1260 |
| 2880 | 2400 | 1600 | 3200 |

(몇십)×(몇십), (몇십몇)×(몇십)

| 324 | 170 | 225 | 288 |
| 224 | 342 | 168 | 222 |

(몇)×(몇십몇) ❖ (한 자리 수)×(몇)과 (한 자리 수)×(몇십)을 각각 구하여 더합니다.

❖ (두 자리 수)×(몇)과 (두 자리 수)×(몇십)을 각각 구하여 더합니다.

| | 527 | 399 | 224 |
| 1643 | 325 | 336 | 221 |

올림이 한 번 있는 (몇십몇)×(몇십몇)

| 2294 | 952 | 1536 | 2632 |
| 3266 | 1150 | 2046 | 575 |

올림이 여러 번 있는 (몇십몇)×(몇십몇)

22 Start 3-2

1. 곱셈 23

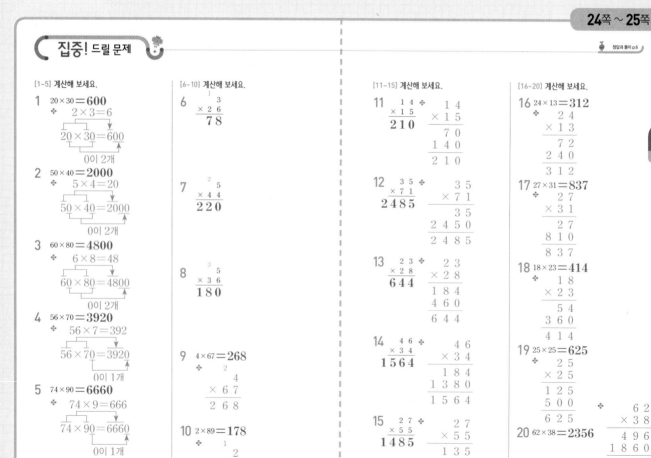

집중! 드릴 문제

정답과 풀이 p.6

[1~5] 계산해 보세요.

1 $20 \times 30 = 600$
❖ $2 \times 3 = 6$
$20 \times 30 = 600$
0이 2개

2 $50 \times 40 = 2000$
❖ $5 \times 4 = 20$
$50 \times 40 = 2000$
0이 2개

3 $60 \times 80 = 4800$
❖ $6 \times 8 = 48$
$60 \times 80 = 4800$
0이 2개

4 $56 \times 70 = 3920$
❖ $56 \times 7 = 392$
$56 \times 70 = 3920$
0이 1개

5 $74 \times 90 = 6660$
❖ $74 \times 9 = 666$
$74 \times 90 = 6660$
0이 1개

[6~10] 계산해 보세요.

6
```
    1
   2 6
 ×
   7 8
```

7
```
    2
   2 5
 × 4 4
   2 2 0
```

8
```
    3
   3 5
 × 3 6
   1 8 0
```

9 $4 \times 67 = 268$
❖
```
    2
    4
 × 6 7
   2 6 8
```

10 $2 \times 89 = 178$
❖
```
    1
    2
 × 8 9
   1 7 8
```

[11~15] 계산해 보세요.

11
```
   1 4
 × 1 5
   2 1 0
```
❖
```
   1 4
 × 1 5
   7 0
 1 4 0
 2 1 0
```

12
```
   3 5
 × 7 1
 2 4 8 5
```
❖
```
   3 5
 × 7 1
   3 5
 2 4 5 0
 2 4 8 5
```

13
```
   2 3
 × 2 8
   6 4 4
```
❖
```
   2 3
 × 2 8
 1 8 4
 4 6 0
 6 4 4
```

14
```
   4 6
 × 3 4
 1 5 6 4
```
❖
```
   4 6
 × 3 4
 1 8 4
 1 3 8 0
 1 5 6 4
```

15
```
   2 7
 × 5 5
 1 4 8 5
```
❖
```
   2 7
 × 5 5
 1 3 5
 1 3 5 0
 1 4 8 5
```

[16~20] 계산해 보세요.

16 $24 \times 13 = 312$
❖
```
   2 4
 × 1 3
   7 2
 2 4 0
 3 1 2
```

17 $27 \times 31 = 837$
❖
```
   2 7
 × 3 1
   2 7
 8 1 0
 8 3 7
```

18 $18 \times 23 = 414$
❖
```
   1 8
 × 2 3
   5 4
 3 6 0
 4 1 4
```

19 $25 \times 25 = 625$
❖
```
   2 5
 × 2 5
 1 2 5
 5 0 0
 6 2 5
```

20 $62 \times 38 = 2356$
❖
```
   6 2
 × 3 8
   4 9 6
 1 8 6 0
 2 3 5 6
```

교과서 개념 확인 문제

정답과 풀이 p.7

1 □ 안에 알맞은 수를 써넣으세요.

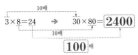

$3 \times 8 = 24$ → $30 \times 80 = \boxed{2400}$

(10배, 10배, 100배)

❖ 30은 3의 10배, 80은 8의 10배이므로 30×80은 3×8의 100배
입니다.

2 계산해 보세요.

(1) $70 \times 50 = 3500$ (2) $17 \times 40 = 680$

3 43×32를 계산하려고 합니다. □ 안에 알맞은 수를 써넣으세요.

$43 \times 32 = 43 \times 30 + 43 \times \boxed{2}$
$= \boxed{1290} + \boxed{86}$
$= \boxed{1376}$

$$\begin{array}{r} 4\ 3 \\ \times\ 3\ 2 \\ \hline \boxed{8\ 6} \\ \boxed{1\ 2\ 9\ 0} \\ \hline \boxed{1\ 3\ 7\ 6} \end{array}$$

❖ $32 = 30 + 2$이므로 $43 \times 30 = 1290$과 $43 \times 2 = 86$의 합으로
구합니다. ➜ $43 \times 32 = 1290 + 86 = 1376$

4 계산해 보세요.

(1)
$$\begin{array}{r} 2\ 3 \\ \times\ 1\ 2 \\ \hline 2\ 7\ 6 \end{array}$$
❖
$$\begin{array}{r} 2\ 3 \\ \times\ 1\ 2 \\ \hline 4\ 6 \\ 2\ 3\ 0 \\ \hline 2\ 7\ 6 \end{array}$$

(2)
$$\begin{array}{r} 5\ 6 \\ \times\ 4\ 5 \\ \hline 2\ 5\ 2\ 0 \end{array}$$
❖
$$\begin{array}{r} 5\ 6 \\ \times\ 4\ 5 \\ \hline 2\ 8\ 0 \\ 2\ 2\ 4\ 0 \\ \hline 2\ 5\ 2\ 0 \end{array}$$

---

5 빈칸에 알맞은 수를 써넣으세요.

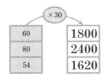

	×30
60	1800
80	2400
54	1620

❖ $60 \times 30 = 1800$, $80 \times 30 = 2400$, $54 \times 30 = 1620$

6 빈 곳에 두 수의 곱을 써넣으세요.

(1) 8 / 36 → 288 (2) 5 / 72 → 360

❖ (1) $8 \times 36 = 288$ (2) $5 \times 72 = 360$

7 잘못 계산한 곳을 찾아 바르게 계산해 보세요.

$$\begin{array}{r} 4\ 3 \\ \times\ 2\ 7 \\ \hline 3\ 0\ 1 \\ 8\ 6 \\ \hline 3\ 8\ 7 \end{array} \quad \rightarrow \quad \begin{array}{r} 4\ 3 \\ \times\ 2\ 7 \\ \hline 3\ 0\ 1 \\ 8\ 6\ 0 \\ \hline 1\ 1\ 6\ 1 \end{array}$$

❖ $43 \times 20 = 860$인데 86으로 잘못 계산했습니다.

8 다음 중 □ 안에 들어갈 0의 개수가 나머지와 다른 하나를 찾아 기호를 써 보세요.

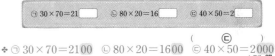

ㄱ $30 \times 70 = 21\square$ ㄴ $80 \times 20 = 16\square$ ㄷ $40 \times 50 = 2\square$

(ㄷ)

❖ ㄱ $30 \times 70 = 2100$ ㄴ $80 \times 20 = 1600$ ㄷ $40 \times 50 = 2000$
(0이 2개) (0이 2개) (0이 3개)

1
단원

교과서 개념 확인 문제

정답과 풀이 p.7

9 계산 결과를 찾아 선으로 이어 보세요.

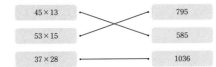

45×13		795
53×15		585
37×28		1036

❖ $45 \times 13 = 585$, $53 \times 15 = 795$, $37 \times 28 = 1036$

10 50원짜리 동전이 50개 있습니다. 모두 얼마인지 구해 보세요.

(**2500원**)

❖ $50 \times 50 = 2500$(원)

11 삼각형에 적힌 수끼리의 곱을 구해 보세요.

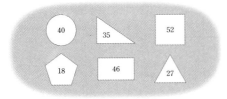

40 · 35 · 52 · 18 · 46 · 27

(**945**)

❖ 삼각형에 적힌 수는 35와 27입니다. ➜ $35 \times 27 = 945$

---

12 계산 결과가 2000보다 큰 것에 ◯표 하세요.

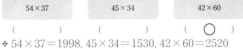

54×37	45×34	42×60
( )	( )	(◯)

❖ $54 \times 37 = 1998$, $45 \times 34 = 1530$, $42 \times 60 = 2520$
➜ $1998 < 2000$, $1530 < 2000$, $2520 > 2000$이므로
계산 결과가 2000보다 큰 것은 42×60입니다.

13 계산 결과가 큰 순서대로 기호를 써 보세요.

ㄱ 32×32 ㄴ 64×20 ㄷ 40×30

(ㄴ, ㄷ, ㄱ)

❖ ㄱ $32 \times 32 = 1024$ ㄴ $64 \times 20 = 1280$ ㄷ $40 \times 30 = 1200$
$1280 > 1200 > 1024$이므로 계산 결과가 큰 순서대로 기호를 쓰면
ㄴ, ㄷ, ㄱ이므로 ㄴ, ㄷ, ㄱ입니다.

14 연필 1타는 연필이 12자루입니다. 연필 17타는 연필이 몇 자루인지 구해 보세요.

(**204자루**)

❖ (연필 17타) $= 12 \times 17 = 204$(자루)

15 윤희는 동화책을 하루에 36쪽씩 읽습니다. 매일 같은 쪽수를 읽는다면 14일 동안 읽는
동화책은 모두 몇 쪽인지 구해 보세요.

(**504쪽**)

❖ (윤희가 읽는 동화책 쪽수) = (하루에 읽는 동화책 쪽수) × (날수)
$= 36 \times 14 = 504$(쪽)

1
단원

개념 확인평가 1. 곱셈

정답과 풀이 p.8

맞은 개수

1 색칠한 부분은 실제 어떤 수의 곱인지를 찾아 ○표 하세요.

		4	5	2
×				8
			1	6
		4	0	0
	3	2	0	0
	3	6	1	6

4×8	40×8	400×8
5×8	(50×8)	500×8

```
      4 5 2
  ×       8
      1 6  …  2×8
    4 0 0  …  50×8
  3 2 0 0  …  400×8
  3 6 1 6
```

2 □ 안에 알맞은 수를 써넣으세요.

$$18 \times 3 = 54 \quad \Rightarrow \quad 18 \times 30 = \boxed{540}$$

(10배 위, 10배 아래)

❖ 곱해지는 수는 그대로이고 곱하는 수가 10배가 되면 곱도 10배가 됩니다.

3 계산해 보세요.

(1)
```
    1 2 8          2
  ×     3      1 2 8
  3 8 4      ×     3
              3 8 4
```

(2)
```
    1 4          1 4
  ×   1 4      ×   1 4
  1 9 6          5 6
              1 4 0
              1 9 6
```

4 다음 덧셈식을 곱셈식으로 나타내고 계산해 보세요.

$$127+127+127+127+127+127+127$$

$$\rightarrow 127 \times \boxed{7} = \boxed{889}$$

❖ 127을 7번 더한 것이므로 127 × 7로 계산할 수 있습니다.
→ 127 × 7 = 889

5 계산 결과가 같은 것끼리 선으로 이어 보세요.

30×60		20×80
40×40		60×60
90×40		90×20

❖ 30×60=1800   20×80=1600
   40×40=1600   60×60=3600
   90×40=3600   90×20=1800

6 잘못 계산한 곳을 찾아 바르게 계산해 보세요.

```
        6              6
    ×  3 4         ×  3 4
      2 4            2 4
      1 8          1 8 0
      4 2          2 0 4
```

❖ 34에서 3은 십의 자리 숫자이므로 30을 나타냅니다.
따라서 곱하는 수의 십의 자리를 곱할 때에는 6 × 30을 계산해야
하는데 6 × 3으로 잘못 계산했습니다.

7 빈칸에 알맞은 수를 써넣으세요.

```
        ×15        ×4
  25  →  375  →  1500
```

❖ 25 × 15 = 375. 375 × 4 = 1500

8 계산 결과를 비교하여 ○ 안에 >, =, <를 알맞게 써넣으세요.

$$34 \times 50 \;\bigcirc\!> \; 283 \times 6$$

❖ 34 × 50 = 1700. 283 × 6 = 1698
→ 1700 > 1698

개념 확인평가 1. 곱셈

정답과 풀이 p.8

9 계산 결과가 1000보다 작은 곱셈식이 써 있는 로봇에 모두 ○표 하세요.

346×3   30×30   25×40   37×22

❖ 346 × 3 = 1038, 30 × 30 = 900, 25 × 40 = 1000,
37 × 22 = 814
→ 계산 결과가 1000보다 작은 곱셈식은 30 × 30과 37 × 22
입니다.

10 계산 결과가 큰 순서대로 기호를 써 보세요.

| ㉠ 359×5 | ㉡ 487×4 | ㉢ 526×3 |

(㉡, ㉠, ㉢)

❖ ㉠ 359 × 5 = 1795 ㉡ 487 × 4 = 1948 ㉢ 526 × 3 = 1578
1948 > 1795 > 1578이므로 계산 결과가 큰 순서대로 기호를 쓰면
㉡   ㉠   ㉢   ㉡, ㉠, ㉢입니다.

11 다음을 보고 지은이네 학교와 홍기네 학교 학생 수는 모두 몇 명인지 구해 보세요.

우리 학교는 한 학년에 134명씩 6개 학년이 있어.

우리 학교는 한 학년에 127명씩 6개 학년이 있어.

지은   홍기

(1566명)

❖ (지은이네 학교 학생 수) = 134 × 6 = 804(명)
   (홍기네 학교 학생 수) = 127 × 6 = 762(명)
→ 804 + 762 = 1566(명)

[GO! 매쓰]
여기까지 1단원 내용입니다.
다음부터는 2단원 내용이
시작합니다.

교과서 개념 잡기

개념 ① (몇십)÷(몇) 구하기 (1) ― 내림이 없는 (몇십)÷(몇)

· 60÷2의 계산

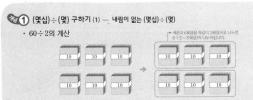

내림이 없는 (몇십)÷(몇)의 몫은 (몇)÷(몇)의 몫에 0을 1개 붙여 줍니다.

6÷2=3 ➡ 60÷2=30

개념 ② (몇십)÷(몇) 구하기 (2) ― 내림이 있는 (몇십)÷(몇)

· 60÷5의 계산

십 모형 1개는 일 모형 10개로 바꿀 수 있습니다.

십 모형 6개를 일 모형 60개로 바꿔서 5개씩 묶어 보면 12번 묶을 수 있습니다.

➡ 60÷5=12

개념 Check

연필 60자루를 3명이 똑같이 나누어 가지려고 합니다. 한 명이 몇 자루씩 가져야 하는지 바르게 말한 친구를 찾아 ○표 하세요.

---

1 90÷3을 어떻게 계산하는지 알아보세요.

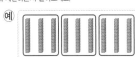

(1) 수 모형을 똑같이 3묶음으로 묶어 보세요.

(2) 한 묶음에는 십 모형 **3**개가 있습니다. ➡ 90÷3=**30**

❖ 9÷3=3이므로 90÷3=30입니다.

2 십 모형 3개를 일 모형 30개로 바꾸었습니다. 일 모형을 2개씩 묶어 30÷2의 몫을 구해 보세요.

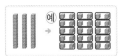

30÷2=**15**

❖ 일 모형 30개를 2개씩 묶으면 15묶음이 됩니다.

3 ☐ 안에 알맞은 수를 써넣으세요.

(1) 4÷4=**1** ➡ 40÷4=**10**   (2) 8÷4=**2** ➡ 80÷4=**20**

❖ 나누는 수가 같을 때 나누어지는 수가 10배가 되면 몫도 10배가 됩니다.

4 계산해 보세요.

(1) 40÷2=**20**   (2) 60÷6=**10**

(3) 70÷2=**35**   (4) 80÷5=**16**

교과서 개념 잡기

개념 ③ (몇십몇)÷(몇) 구하기 (1) ― 내림이 없고 나머지가 없는 (몇십몇)÷(몇)

· 46÷2의 계산

수 모형을 2묶음으로 똑같이 나누면 한 묶음에는 십 모형 2개, 일 모형 3개가 있습니다. ➡ 46÷2=23

나눗셈식을 세로로 푸는 방법

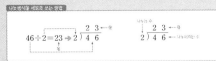

개념 ④ (몇십몇)÷(몇) 알아보기 (2) ― 내림이 있고 나머지가 없는 (몇십몇)÷(몇)

· 45÷3의 계산

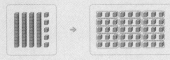

십 모형을 모두 일 모형으로 바꿔서 3개씩 묶어 보면 15번 묶을 수 있습니다.

➡ 45÷3=15

---

1 36÷3을 어떻게 계산하는지 알아보세요.

(1) 수 모형을 3묶음으로 똑같이 나누면 한 묶음에는 십 모형 **1**개, 일 모형 **2**개가 있습니다.

(2) 36÷3=**12**

2 ☐ 안에 알맞은 수를 써넣으세요.

나누는 수

(1) 66÷6=11 ➡ 몫 **11**
     6)**66**
     ➡ 나누어지는 수

(2) 64÷4=16 ➡ **16**
     4)**64**

3 ☐ 안에 알맞은 수를 써넣으세요.

```
(1)      2 1
     4 ) 8 4
         8
         4
         4
         0
```

```
(2)      1 5
     5 ) 7 5
         5
         2 5
         2 5
         0
```

4 계산해 보세요.

```
(1)      2 4
     2 ) 4 8
         4
         8
         8
         0
```

❖ 72÷3=**24**
```
        2 4
     3 ) 7 2
         6
         1 2
         1 2
         0
```

교과서 개념 ^{play}   만두 찌기

만두판에 나눗셈에 알맞은 몫이 써 있는 고기만두와 김치만두를 붙여
만두를 쪄 보세요.

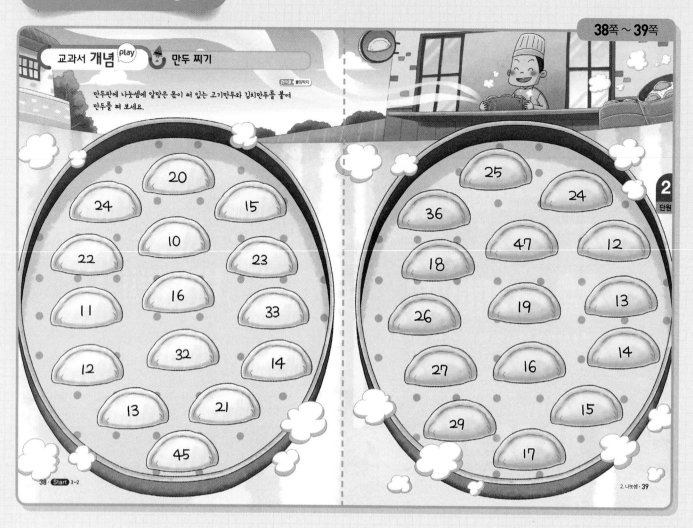

2
단원

38 · Start 3-2   2. 나눗셈 · 39

집중! 드릴 문제   정답과 풀이 p.10

[1~6] □ 안에 알맞은 수를 써넣으세요.

1 $8 \div 2 = \boxed{4}$ → $80 \div 2 = \boxed{40}$

2 $9 \div 9 = \boxed{1}$ → $90 \div 9 = \boxed{10}$

3 $4 \div 2 = \boxed{2}$ → $40 \div 2 = \boxed{20}$

4 $5 \div 5 = \boxed{1}$ → $50 \div 5 = \boxed{10}$

5 $7 \div 7 = \boxed{1}$ → $70 \div 7 = \boxed{10}$

6 $6 \div 2 = \boxed{3}$ → $60 \div 2 = \boxed{30}$

[7~12] 계산해 보세요.

7 $60 \div 4 = 15$

8 $70 \div 5 = 14$

9 $90 \div 6 = 15$

10 $50 \div 2 = 25$

11 $60 \div 5 = 12$

12 $90 \div 5 = 18$

[13~18] 계산해 보세요.

13 $84 \div 2 = 42$

14 $69 \div 3 = 23$

15 $48 \div 4 = 12$

16
```
    1 3
3 ) 3 9
    3
    9
    9
    0
```

17
```
    1 1
6 ) 6 6
    6
    6
    6
    0
```

18
```
    4 4
2 ) 8 8
    8
    8
    8
    0
```

[19~24] 계산해 보세요.

19 $57 \div 3 = 19$

20 $34 \div 2 = 17$

21 $92 \div 4 = 23$

22
```
    1 9
4 ) 7 6
    4
    3 6
    3 6
    0
```

23
```
    1 7
3 ) 5 1
    3
    2 1
    2 1
    0
```

24
```
    1 4
7 ) 9 8
    7
    2 8
    2 8
    0
```

2
단원

40 · Start 3-2   2. 나눗셈 · 41

교과서 **개념 확인 문제**

정답과 풀이 p.11

1 수 모형을 보고 □ 안에 알맞은 수를 써넣으세요.

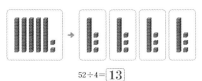

$52 \div 4 = \boxed{13}$

2 □ 안에 알맞은 수를 써넣으세요.

나누는 수
$77 \div 7 = \boxed{11}$ → $\boxed{7})\overline{\boxed{77}}$ ← 몫
나누어지는 수

3 빈칸에 알맞은 수를 써넣으세요.

62 → ÷2 → $\boxed{31}$

❖ $62 \div 2 = 31$

4 □ 안에 알맞은 수를 써넣으세요.

(1)
$$\begin{array}{r} \boxed{3}\,\boxed{2} \\ 3\,)\,\overline{9\ 6} \\ \boxed{9} \\ \hline \boxed{6} \\ \boxed{6} \\ \hline 0 \end{array}$$

(2)
$$\begin{array}{r} \boxed{2}\,\boxed{9} \\ 2\,)\,\overline{5\ 8} \\ \boxed{4} \\ \hline \boxed{1\ 8} \\ \boxed{1\ 8} \\ \hline 0 \end{array}$$

5 나눗셈의 몫을 찾아 선으로 이어 보세요.

90÷5		16
64÷4		13
78÷6		18

❖
$$\begin{array}{r} 1\ 8 \\ 5\,)\,\overline{9\ 0} \\ 5 \\ \hline 4\ 0 \\ 4\ 0 \\ \hline 0 \end{array}\quad \begin{array}{r} 1\ 6 \\ 4\,)\,\overline{6\ 4} \\ 4 \\ \hline 2\ 4 \\ 2\ 4 \\ \hline 0 \end{array}\quad \begin{array}{r} 1\ 3 \\ 6\,)\,\overline{7\ 8} \\ 6 \\ \hline 1\ 8 \\ 1\ 8 \\ \hline 0 \end{array}$$

6 빈칸에 알맞은 수를 써넣으세요.

91 → ÷7 → $\boxed{13}$

❖ $91 \div 7 = 13$

7 빈칸에 알맞은 수를 써넣으세요.

÷		
96	3	**32**
32	2	**16**
84	7	**12**

❖ $96 \div 3 = 32,\ 32 \div 2 = 16,\ 84 \div 7 = 12$

8 몫의 크기를 비교하여 ○ 안에 >, =, <를 알맞게 써넣으세요.

$56 \div 4$ ⟨ $90 \div 6$

❖ $56 \div 4 = 14,\ 90 \div 6 = 15$

➔ $14 < 15$이므로 $56 \div 4 < 90 \div 6$입니다.

2
단원

교과서 **개념 확인 문제**

정답과 풀이 p.11

9 잘못 계산한 곳을 찾아 바르게 계산해 보세요.

$$\begin{array}{r} 3\ 0 \\ 3\,)\,\overline{9\ 3} \\ 9 \\ \hline 3 \end{array}\quad \Rightarrow \quad \begin{array}{r} 3\ 1 \\ 3\,)\,\overline{9\ 3} \\ 9 \\ \hline 3 \\ 3 \\ \hline 0 \end{array}$$

❖ 일의 자리 수 3을 3으로 나누어야 하는데 나누지 않아서 잘못되었습니다.

10 몫이 같은 것끼리 선으로 이어 보세요.

| 38÷2 | | 42÷2 |
| 63÷3 | | 57÷3 |

❖ $38 \div 2 = 19$　$42 \div 2 = 21$
$63 \div 3 = 21$　$57 \div 3 = 19$

11 몫이 다른 하나를 찾아 기호를 써 보세요.

| ㉠ 45÷3 | ㉡ 64÷4 |
| ㉢ 30÷2 | ㉣ 75÷5 |

(㉡)

❖ ㉠ $45 \div 3 = 15$　㉡ $64 \div 4 = 16$
㉢ $30 \div 2 = 15$　㉣ $75 \div 5 = 15$
따라서 몫이 다른 하나는 ㉡입니다.

12 큰 수를 작은 수로 나눈 몫을 구해 보세요.

(1) 4　48
(**12**)

(2) 92　2
(**46**)

❖ (1) $4 < 48$이므로 $48 \div 4 = 12$입니다.
(2) $92 > 2$이므로 $92 \div 2 = 46$입니다.

13 몫이 30보다 큰 것을 찾아 ○표 하세요.

❖ $69 \div 3 = 23,\ 92 \div 4 = 23,\ 88 \div 8 = 11,\ 70 \div 2 = 35$
따라서 몫이 30보다 큰 것은 $70 \div 2$입니다.

14 딸기 36개를 2명이 똑같이 나누어 먹으려고 합니다. 한 명이 먹을 수 있는 딸기는 몇 개 인지 식을 쓰고 답을 구해 보세요.

식 $\boxed{36 \div 2 = 18}$

답 $\boxed{18}$개

❖ (한 명이 먹을 수 있는 딸기의 수)
= (전체 딸기의 수) ÷ (사람 수)
= $36 \div 2 = 18$(개)

2
단원

교과서 개념 잡기

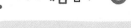

개념 ⑤ 나머지가 있는 (몇십몇)÷(몇) 구하기 (1)

· 13÷4의 계산

13을 4로 나누면 몫은 3이고 1이 남습니다.
이때 1을 13÷4의 나머지라고 합니다.

13÷4=3…1

나머지가 없으면 나머지가 0이라고 말할 수 있습니다.
나머지가 0일 때, 나누어떨어진다고 합니다.

나누는 수
        3 ← 몫
4) 1 3 ← 나누어지는 수
    1 2
      1 ← 나머지

개념 ⑥ 나머지가 있는 (몇십몇)÷(몇) 구하기 (2)

· 64÷5의 계산

64÷5=12…4

개념 Check

클립 25개를 한 명당 4개씩 나누어 주려고 합니다. 몇 명에게 나누어 줄 수 있고, 몇 개가
남는지 바르게 말한 친구를 찾아 ○표 하세요.

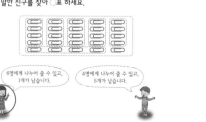

6명에게 나누어 줄 수 있고,
1개가 남습니다. ○

4명에게 나누어 줄 수 있고,
5개가 남습니다.

정답과 풀이 p.12

1 나눗셈식을 보고 □ 안에 알맞은 말을 써넣으세요.

$$27÷4=6…3$$

27을 4로 나누면 **몫**은/는 6이고 3이 남습니다.

이때 3을 27÷4의 **나머지**(이)라고 합니다.

2 35÷2를 어떻게 계산하는지 알아보세요.

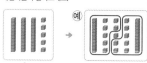

(1) 위의 오른쪽 수 모형을 2묶음으로 똑같이 나누어 보세요.

(2) 한 묶음에는 십 모형 **1**개, 일 모형 **7**개가 있고, 남은 일 모형은 **1**개입니다.

(3) 35÷2= **17** … **1**

3 □ 안에 알맞은 수를 써넣으세요.

```
        5
5) 2  9
  2  5
     4
```

4 나눗셈의 몫과 나머지를 구해 보세요.

49÷5

몫 (**9**)
나머지 (**4**)

❖ 49÷5=9…4
      ↑   ↑
     몫   나머지

교과서 개념 잡기

개념 ⑦ (세 자리 수)÷(한 자리 수) 구하기

· 520÷4의 계산 — 나머지가 없는 경우

```
    1            1 3          1 3 0
4) 5 2 0  →  4) 5 2 0  →  4) 5 2 0
   4            4            4
   1            1 2          1 2
                1 2          1 2
                  0            0
```

52÷4의 나눗셈 뒤에 0을 하나 더 붙여 계산하는 것과 같습니다.

· 406÷5의 계산 — 나머지가 있는 경우

```
                 8            8 1
5) 4 0 6  →  5) 4 0 6  →  5) 4 0 6
                4 0          4 0
                  0            6
                               5
                               1
```

백의 자리에서는 나누지 못해요.

백의 자리에서 4를 5로 나눌 수 없으므로 십의 자리에서 40을 5로 나누고 6을
내려 쓴 후 5로 나눕니다.

개념 ⑧ 계산이 맞는지 확인하기

· 19÷5의 계산 확인하기

$$19 ÷ 5 = 3 … 4$$

$$5 × 3 = 15, 15 + 4 = 19$$

나누는 수와 몫의 곱에 나머지를 더하면 나누어지는 수가 되어야 합니다.

정답과 풀이 p.12

1 □ 안에 알맞은 수를 써넣으세요.

(1)
```
      2              2 0            2 0 0
3) 6 0 0  →  3) 6 0 0  →  3) 6 0 0
   6            6              6
   0            0              0
                              0
```

(2)
```
      2              2 3            2 3 4
4) 9 3 7  →  4) 9 3 7  →  4) 9 3 7
   8            8              8
   1            1 3            1 3
                1 2            1 2
                  1            1 7
                               1 6
                                 1
```

❖ (1) 60÷3의 나눗셈 뒤에 0을 하나 더 붙여서
    계산하는 것과 같습니다.
  (2) 백의 자리부터 순서대로 4로 나누어 가면서 계산합니다.

2 나눗셈을 보고 계산 결과가 맞는지 확인해 보세요.

56÷6=9…2   확인 6× **9** = **54** , **54** +2=56

❖ 나누는 수와 몫의 곱에 나머지를 더하면 나누어지는 수가 되어야
  합니다.

3 □ 안에 알맞은 수를 써넣으세요.

(1) 375÷5= **75**   (2) 721÷3= **240** … **1**

❖ (2)
```
      2 4 0
3) 7 2 1
   6
   1 2
   1 2
       1
```

4 계산해 보고 계산 결과가 맞는지 확인해 보세요.

37÷9= **4** … **1**   확인 9× **4** = **36** , **36** +1=37

교과서 개념 play 김밥과 유부초밥 만들기

소풍을 가기 위해 김밥과 유부초밥을 만들었습니다. 알맞은 단무지와 햄을 붙여 김밥과 유부초밥을 완성해 보세요.

$62 \div 4 = $ 15 ··· 2
$45 \div 8 = $ 5 ··· 5
$40 \div 6 = $ 6 ··· 4
$19 \div 3 = $ 6 ··· 1
$53 \div 6 = $ 8 ··· 5
$97 \div 4 = $ 24 ··· 1

$67 \div 9 = $ 7 ··· 4
$89 \div 2 = $ 44 ··· 1
$53 \div 3 = $ 17 ··· 2
$95 \div 8 = $ 11 ··· 7
$91 \div 4 = $ 22 ··· 3
$80 \div 7 = $ 11 ··· 3

$960 \div 4 = $ 240 ··· 0
$547 \div 3 = $ 182 ··· 1
$408 \div 6 = $ 68 ··· 0
$718 \div 9 = $ 79 ··· 7
$161 \div 7 = $ 23 ··· 0
$683 \div 8 = $ 85 ··· 3

$929 \div 8 = $ 116 ··· 1
$410 \div 7 = $ 58 ··· 4
$394 \div 4 = $ 98 ··· 2
$723 \div 7 = $ 103 ··· 2
$720 \div 3 = $ 240 ··· 0
$382 \div 5 = $ 76 ··· 2

50 · Start · 3-2

2 단원

2. 나눗셈 · 51

집중! 드릴 문제

정답과 풀이 p.13

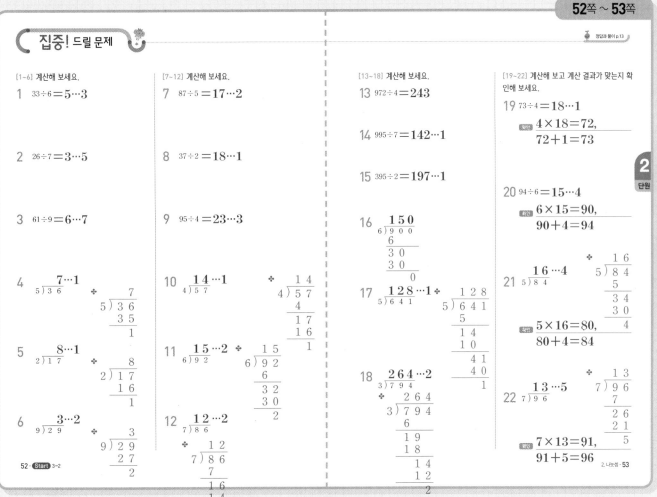

[1~6] 계산해 보세요.

1 $33 \div 6 = 5 \cdots 3$

2 $26 \div 7 = 3 \cdots 5$

3 $61 \div 9 = 6 \cdots 7$

4
$$\begin{array}{r} 7 \cdots 1 \\ 5\,)\,\overline{3\;6} \end{array}$$
÷
$$\begin{array}{r} 7 \\ 5\,)\,\overline{3\;6} \\ \underline{3\;5} \\ 1 \end{array}$$

5
$$\begin{array}{r} 8 \cdots 1 \\ 2\,)\,\overline{1\;7} \end{array}$$
÷
$$\begin{array}{r} 8 \\ 2\,)\,\overline{1\;7} \\ \underline{1\;6} \\ 1 \end{array}$$

6
$$\begin{array}{r} 3 \cdots 2 \\ 9\,)\,\overline{2\;9} \end{array}$$
÷
$$\begin{array}{r} 3 \\ 9\,)\,\overline{2\;9} \\ \underline{2\;7} \\ 2 \end{array}$$

[7~12] 계산해 보세요.

7 $87 \div 5 = 17 \cdots 2$

8 $37 \div 2 = 18 \cdots 1$

9 $95 \div 4 = 23 \cdots 3$

10
$$\begin{array}{r} 14 \cdots 1 \\ 4\,)\,\overline{5\;7} \end{array}$$
÷
$$\begin{array}{r} 1\;4 \\ 4\,)\,\overline{5\;7} \\ \underline{4} \\ 1\;7 \\ \underline{1\;6} \\ 1 \end{array}$$

11
$$\begin{array}{r} 15 \cdots 2 \\ 6\,)\,\overline{9\;2} \end{array}$$
÷
$$\begin{array}{r} 1\;5 \\ 6\,)\,\overline{9\;2} \\ \underline{6} \\ 3\;2 \\ \underline{3\;0} \\ 2 \end{array}$$

12
$$\begin{array}{r} 12 \cdots 2 \\ 7\,)\,\overline{8\;6} \end{array}$$
÷
$$\begin{array}{r} 1\;2 \\ 7\,)\,\overline{8\;6} \\ \underline{7} \\ 1\;6 \\ \underline{1\;4} \\ 2 \end{array}$$

[13~18] 계산해 보세요.

13 $972 \div 4 = 243$

14 $995 \div 7 = 142 \cdots 1$

15 $395 \div 2 = 197 \cdots 1$

16
$$\begin{array}{r} 1\;5\;0 \\ 6\,)\,\overline{9\;0\;0} \\ \underline{6} \\ 3\;0 \\ \underline{3\;0} \\ 0 \end{array}$$

17
$$\begin{array}{r} 1\;2\;8 \cdots 1 \\ 5\,)\,\overline{6\;4\;1} \end{array}$$
$$\begin{array}{r} 1\;2\;8 \\ 5\,)\,\overline{6\;4\;1} \\ \underline{5} \\ 1\;4 \\ \underline{1\;0} \\ 4\;1 \\ \underline{4\;0} \\ 1 \end{array}$$

18
$$\begin{array}{r} 2\;6\;4 \cdots 2 \\ 3\,)\,\overline{7\;9\;4} \end{array}$$
÷
$$\begin{array}{r} 2\;6\;4 \\ 3\,)\,\overline{7\;9\;4} \\ \underline{6} \\ 1\;9 \\ \underline{1\;8} \\ 1\;4 \\ \underline{1\;2} \\ 2 \end{array}$$

[19~22] 계산해 보고 계산 결과가 맞는지 확인해 보세요.

19 $73 \div 4 = 18 \cdots 1$
확인 $4 \times 18 = 72$, $72 + 1 = 73$

20 $94 \div 6 = 15 \cdots 4$
확인 $6 \times 15 = 90$, $90 + 4 = 94$

21
$$\begin{array}{r} 1\;6 \cdots 4 \\ 5\,)\,\overline{8\;4} \end{array}$$
÷
$$\begin{array}{r} 1\;6 \\ 5\,)\,\overline{8\;4} \\ \underline{5} \\ 3\;4 \\ \underline{3\;0} \\ 4 \end{array}$$
확인 $5 \times 16 = 80$, $80 + 4 = 84$

22
$$\begin{array}{r} 1\;3 \cdots 5 \\ 7\,)\,\overline{9\;6} \end{array}$$
÷
$$\begin{array}{r} 1\;3 \\ 7\,)\,\overline{9\;6} \\ \underline{7} \\ 2\;6 \\ \underline{2\;1} \\ 5 \end{array}$$
확인 $7 \times 13 = 91$, $91 + 5 = 96$

52 · Start · 3-2

2 단원

2. 나눗셈 · 53

교과서 개념 확인 문제

정답과 풀이 p.14

1 수 모형을 보고 □ 안에 알맞은 수를 써넣으세요.

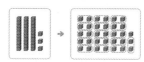

$33 \div 2 = \boxed{16} \cdots \boxed{1}$

❖ 33을 2씩 묶으면 16묶음이 되고 1이 남습니다.

2 계산해 보세요.

(1) $\begin{array}{r} 2\,1 \\ 4\overline{)8\,5} \\ 8 \\ \hline 5 \\ 4 \\ \hline 1 \end{array}$ ⟶ $21 \cdots 1$

(2) $\begin{array}{r} 1\,3 \\ 3\overline{)4\,0} \\ 3 \\ \hline 1\,0 \\ 9 \\ \hline 1 \end{array}$ ⟶ $13 \cdots 1$

3 나눗셈을 하여 [ ] 안에는 몫을, ◯ 안에는 나머지를 써넣으세요.

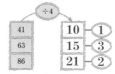

÷4

41	→	10	1
63	→	15	3
86	→	21	2

❖ $41 \div 4 = 10 \cdots 1$, $63 \div 4 = 15 \cdots 3$, $86 \div 4 = 21 \cdots 2$

4 나누어떨어지는 나눗셈을 찾아 ◯표 하세요.

$3\overline{)2\,6}$ $5\overline{)2\,5}$ $9\overline{)3\,9}$

( ) (◯) ( )

❖ 나머지가 0인 나눗셈을 찾습니다.

→ $26 \div 3 = 8 \cdots 2$, $25 \div 5 = 5$, $39 \div 9 = 4 \cdots 3$

5 □ 안에 알맞은 수를 써넣으세요.

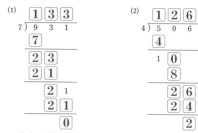

(1) $\begin{array}{r} 1\,3\,3 \\ 7\overline{)9\,3\,1} \\ 7 \\ \hline 2\,3 \\ 2\,1 \\ \hline 2\,1 \\ 2\,1 \\ \hline 0 \end{array}$

(2) $\begin{array}{r} 1\,2\,6 \\ 4\overline{)5\,0\,6} \\ 4 \\ \hline 1\,0 \\ 8 \\ \hline 2\,6 \\ 2\,4 \\ \hline 2 \end{array}$

❖ 백의 자리부터 차례대로 나눕니다.

6 나머지가 더 큰 식의 기호를 써 보세요.

| ㉠ $57 \div 5$ | ㉡ $82 \div 3$ |

(㉠)

❖ ㉠ $57 \div 5 = 11 \cdots 2$ ㉡ $82 \div 3 = 27 \cdots 1$
따라서 $2 > 1$이므로 나머지가 더 큰 식은 ㉠입니다.

7 어떤 수를 6으로 나누었을 때 나머지가 될 수 없는 수에 ×표 하세요.

| 0 | 1 | 2 | 3 | 4 | 5 | ✕ |

❖ 나머지는 항상 나누는 수보다 작아야 합니다.

교과서 개념 확인 문제

정답과 풀이 p.14

8 빈칸에 알맞은 수를 써넣으세요.

÷		몫	나머지
742	3	247	1
633	5	126	3

❖ $742 \div 3 = 247 \cdots 1$, $633 \div 5 = 126 \cdots 3$

9 나눗셈을 바르게 계산한 것에 ◯표 하세요.

$\begin{array}{r} 5\,0\,4 \\ 6\overline{)3\,2\,4} \\ 3\,0 \\ \hline 2\,4 \\ 2\,4 \\ \hline 0 \end{array}$

$\begin{array}{r} 5\,4 \\ 6\overline{)3\,2\,4} \\ 3\,0 \\ \hline 2\,4 \\ 2\,4 \\ \hline 0 \end{array}$

( ) (◯)

❖ 백의 자리에서 3을 6으로 나눌 수 없으므로 십의 자리에서 32를 6으로 나누고 그 몫을 십의 자리에 써야 합니다.

10 도넛 34개를 한 접시에 4개씩 담으려고 합니다. 접시는 몇 개 필요하고, 남은 도넛은 몇 개인지 구해 보세요.

(8개), (2개)

❖ $34 \div 4 = 8 \cdots 2$이므로 접시는 8개 필요하고, 남은 도넛은 2개입니다.

11 계산해 보고 계산 결과가 맞는지 확인해 보세요.

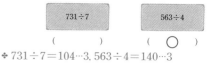

$35 \div 6 = \boxed{5} \cdots \boxed{5}$

확인 $\boxed{6} \times \boxed{5} = 30$, $30 + \boxed{5} = 35$

❖ 나누는 수와 몫의 곱에 나머지를 더하면 나누어지는 수가 되어야 합니다.

12 몫이 더 큰 것에 ◯표 하세요.

| 731 ÷ 7 | 563 ÷ 4 |

( ) (◯)

❖ $731 \div 7 = 104 \cdots 3$, $563 \div 4 = 140 \cdots 3$

13 계산해 보고 계산 결과가 맞는지 확인해 보세요.

(1) $\begin{array}{r} 1\,4 \\ 6\overline{)8\,8} \end{array} \cdots 4$ 확인 $6 \times 14 = 84$, $84 + 4 = 88$

(2) $\begin{array}{r} 1\,6 \\ 3\overline{)5\,0} \end{array} \cdots 2$ 확인 $3 \times 16 = 48$, $48 + 2 = 50$

14 구슬 263개를 4명에게 똑같이 나누어 주려고 합니다. 구슬을 한 사람에게 몇 개씩 나누어 줄 수 있고, 몇 개가 남는지 식을 쓰고 답을 구해 보세요.

식 $\boxed{263} \div \boxed{4} = \boxed{65} \cdots \boxed{3}$

답 한 사람에게 $\boxed{65}$개씩 나누어 줄 수 있고, $\boxed{3}$개가 남습니다.

개념 확인평가

2. 나눗셈

맞은 개수

정답과 풀이 p.15

1 수 모형을 보고 □ 안에 알맞은 수를 써넣으세요.

$60 \div 2 = \boxed{30}$

❖ 수 모형을 똑같이 2묶음으로 나누면 한 묶음에는 십 모형이 3개 있습니다.

2 □ 안에 알맞은 수를 써넣으세요.

(1)

```
      3 2
  3) 9 6
     9 0  ← 3×30
     6
     6    ← 3×2
     0
```

(2)
```
      1 6
  4) 6 4
     4 0  ← 4×10
     2 4
     2 4  ← 4×6
     0
```

3 나눗셈식을 바르게 설명한 사람이 누구인지 찾아 이름을 써 보세요.

$210 \div 4 = 52 \cdots 2$

❖ 나누는 수
$210 \div 4 = 52 \cdots 2$ 은주
나누어지는 수 몫 나머지

(**은주**)

따라서 나눗셈식을 바르게 설명한 사람은 은주입니다.

4 잘못 계산한 곳을 찾아 바르게 계산해 보세요.

```
      2 5              2 6
  3) 7 9      →    3) 7 9
     6                 6
     1 9               1 9
     1 5               1 8
       4                 1
```

❖ 나머지는 항상 나누는 수보다 작아야 하므로 몫을 더 크게 합니다.

5 몫의 크기를 비교하여 ○ 안에 >, =, <를 알맞게 써넣으세요.

(1) $70 \div 2 \bigcirc\!> 50 \div 2$ (2) $80 \div 5 \bigcirc\!< 90 \div 2$

❖ (1) $70 \div 2 = 35$이고 $50 \div 2 = 25$이므로 $70 \div 2 > 50 \div 2$입니다.
  (2) $80 \div 5 = 16$이고 $90 \div 2 = 45$이므로 $80 \div 5 < 90 \div 2$입니다.

6 몫이 가장 큰 것을 찾아 ○표 하세요.

$60 \div 3$	$70 \div 7$	$90 \div 3$
( )	( )	(○)

❖ $60 \div 3 = 20$, $70 \div 7 = 10$, $90 \div 3 = 30$이고
  $30 > 20 > 10$이므로 몫이 가장 큰 것은 $90 \div 3$입니다.

7 나머지가 5가 될 수 없는 나눗셈을 모두 찾아 ×표 하세요.

□÷4	□÷9	□÷6	□÷5
(×)	( )	( )	(×)

❖ 나눗셈에서 나머지는 항상 나누는 수보다 작아야 합니다.

2 단원

개념 확인평가

2. 나눗셈

정답과 풀이 p.15

8 나눗셈의 몫이 다른 한 사람을 찾아 이름을 써 보세요.

 채연
$24 \div 2$

 수찬
$36 \div 3$

 홍기
$55 \div 5$

❖ 채연: $24 \div 2 = 12$, 수찬: $36 \div 3 = 12$,
  홍기: $55 \div 5 = 11$

(**홍기**)

따라서 몫이 다른 사람은 홍기입니다.

9 나눗셈의 나머지가 가장 큰 것을 찾아 기호를 써 보세요.

㉠ $32 \div 6$	㉡ $73 \div 8$
㉢ $47 \div 7$	㉣ $33 \div 5$

❖ ㉠ $32 \div 6 = 5 \cdots 2$ ㉡ $73 \div 8 = 9 \cdots 1$ (㉢)
  ㉢ $47 \div 7 = 6 \cdots 5$ ㉣ $33 \div 5 = 6 \cdots 3$
  $5 > 3 > 2 > 1$이므로 나머지가 가장 큰 것은 ㉢입니다.

10 나눗셈을 보고 계산 결과가 맞는지 확인해 보세요.

$31 \div 4 = 7 \cdots 3$

확인 $4 \times 7 = 28$, $28 + 3 = 31$

11 공책 84권을 3상자에 똑같이 나누어 담으려고 합니다. 한 상자에 공책을 몇 권씩 담을 수 있는지 구해 보세요.

❖ $84 \div 3 = 28$(권)

(**28권**)

[GO! 매쓰]
여기까지 2단원 내용입니다.
다음부터는 3단원 내용이
시작합니다.

교과서 개념 잡기

개념① 원의 중심, 반지름, 지름

• 원 그리기

누름 못이 꽂힌 점에서 원 위의 한 점까지의 길이는 모두 같습니다. 원을 그릴 때에 누름 못이 꽂혔던 점 ㅇ을 원의 중심이라고 합니다.
원의 중심 ㅇ과 원 위의 한 점을 이은 선분을 원의 반지름이라고 합니다. 또, 원 위의 두 점을 이은 선분이 원의 중심 ㅇ을 지날 때, 이 선분을 원의 지름이라고 합니다.
선분 ㅇㄱ과 선분 ㅇㄴ은 원의 반지름이고, 선분 ㄱㄴ은 원의 지름입니다.

• 원의 반지름
① 한 원에 반지름을 무수히 많이 그을 수 있습니다.
② 한 원에서 원의 반지름은 모두 같습니다.

• 원의 지름
① 한 원에 지름을 무수히 많이 그을 수 있습니다.
② 한 원에서 원의 지름은 모두 같습니다.

개념 Check

원에 지름을 바르게 그은 것을 찾아 ◯표 하세요.

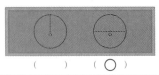

( ) (◯)

62 · Start 3-2

---

1 원의 중심을 찾아 • 으로 표시하였습니다. 원의 중심을 바르게 찾은 것에 ◯표 하세요.

(◯)

❖ 원의 중심: 원을 그릴 때에 누름 못이 꽂혔던 점

2 □ 안에 알맞은 말을 써넣으세요.

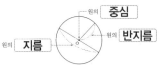

원의 [중심]
원의 [반지름]
원의 [지름]

❖ 원의 반지름: 원의 중심과 원 위의 한 점을 이은 선분
   원의 지름: 원 위의 두 점을 이은 선분 중 원의 중심을 지나는 선분

3 원의 지름을 나타내는 선분을 모두 찾아 ◯표 하세요.

선분 ㄱㅇ ｜ (선분 ㄴㅁ)
선분 ㄷㅇ ｜ 선분 ㄹㅇ
선분 ㅁㅇ ｜ (선분 ㅂㄷ)

❖ 원 위의 두 점을 이은 선분 중 원의 중심을 지나는 선분을 찾습니다.
   ➡ 선분 ㄴㅁ, 선분 ㅂㄷ

4 원에 반지름을 2개씩 그어 보세요.

(1) [예]   (2) [예]

❖ 원의 중심과 원 위의 한 점을 잇습니다.

3. 원 · 63

교과서 개념 잡기

개념② 원의 성질 알아보기

원의 성질 1 원의 지름은 원을 둘로 똑같이 나눕니다.

원의 성질 2 원의 지름은 원 안에 그을 수 있는 가장 긴 선분입니다.

원의 성질 3 한 원에서 지름은 반지름의 2배입니다.
(한 원에서 반지름은 지름의 반입니다.)

✦ (원의 지름) = (원의 반지름) × 2
✦ (원의 반지름) = (원의 지름) ÷ 2

개념 Check

한 원에서 지름과 반지름의 관계를 바르게 설명한 친구를 찾아 ◯표 하세요.

 지름은 반지름의 2배입니다.

 반지름은 지름의 2배입니다.

64 · Start 3-2

---

1 □ 안에 알맞은 말을 써넣으세요.

  원의 [지름]은/는 원을 둘로 똑같이 나눕니다.

2 그림을 보고 알맞은 기호를 써 보세요.

(1) 길이가 가장 긴 선분은 어느 것일까요?
(ㄹ)

(2) 원의 지름은 어느 선분일까요?
(ㄹ)

❖ (1) 원의 중심을 지나는 선분이 가장 깁니다. ➡ ㄹ
   (2) 원의 중심을 지나는 선분을 찾습니다. ➡ ㄹ

[3~4] 선분의 길이를 재어 □ 안에 알맞은 수를 써넣으세요.

3 [1] cm [2] cm

4 [4] cm [2] cm

❖ 원의 반지름과 원의 지름의 길이를 각각 재어 봅니다.

5 위의 3, 4를 보고 원의 반지름과 지름의 관계를 쓴 것입니다. □ 안에 알맞은 수를 써넣으세요.

한 원에서 지름은 반지름의 [2]배입니다.

❖ 3에서 지름 2 cm는 반지름 1 cm의 2배이고,
   4에서 지름 4 cm는 반지름 2 cm의 2배입니다.

3. 원 · 65

집중! 드릴 문제

정답과 풀이 p.17

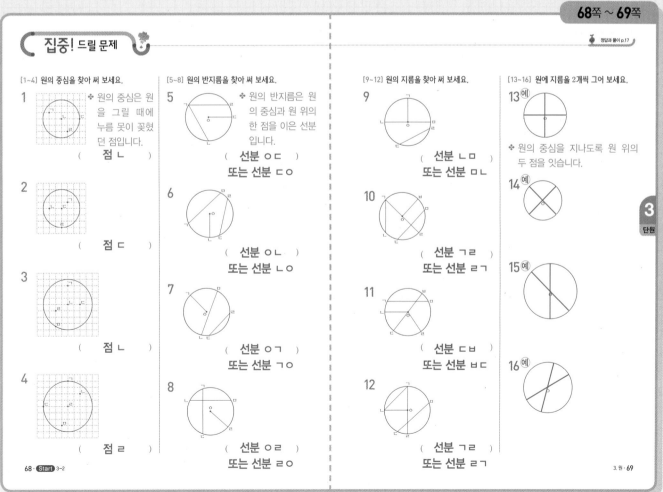

[1~4] 원의 중심을 찾아 써 보세요.

1
✦ 원의 중심은 원을 그릴 때에 누름 못이 꽂혔던 점입니다.
(점 ㄴ)

2
(점 ㄷ)

3
(점 ㄴ)

4
(점 ㄹ)

[5~8] 원의 반지름을 찾아 써 보세요.

5
✦ 원의 반지름은 원의 중심과 원 위의 한 점을 이은 선분입니다.
(선분 ㅇㄷ)
또는 선분 ㄷㅇ

6
(선분 ㅇㄴ)
또는 선분 ㄴㅇ

7
(선분 ㅇㄱ)
또는 선분 ㄱㅇ

8
(선분 ㅇㄹ)
또는 선분 ㄹㅇ

[9~12] 원의 지름을 찾아 써 보세요.

9
(선분 ㄴㅁ)
또는 선분 ㅁㄴ

10
(선분 ㄱㄹ)
또는 선분 ㄹㄱ

11
(선분 ㄷㅂ)
또는 선분 ㅂㄷ

12
(선분 ㄱㄹ)
또는 선분 ㄹㄱ

[13~16] 원에 지름을 2개씩 그어 보세요.

13 예

✦ 원의 중심을 지나도록 원 위의 두 점을 잇습니다.

14 예

15 예

16 예

교과서 **개념 확인** 문제

정답과 풀이 p.18

1 원의 중심을 찾아 써 보세요.

(점 ㄷ)

✤ 원의 중심은 원의 가장 안쪽에 있는 점이므로 점 ㄷ입니다.

2 원의 반지름을 나타내는 선분을 찾아 써 보세요.

(선분 ㅇㄴ)
또는 선분 ㄴㅇ

✤ 원의 중심 ㅇ과 원 위의 한 점을 이은 선분을 찾으면 선분 ㅇㄴ입니다.

3 다음 원의 지름은 몇 cm인지 써 보세요.

(**12 cm**)

✤ 원 위의 두 점을 이은 선분 중 원의 중심을 지나는 선분을 찾아 길이를 알아봅니다. → 12 cm

[4-5] ☐ 안에 알맞은 수를 써넣으세요.

4

5
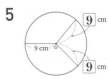

✤ 한 원에서 원의 반지름의 길이는 모두 같습니다.

[6~7] ☐ 안에 알맞은 수를 써넣으세요.

6

7
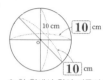

✤ 한 원에서 원의 지름의 길이는 모두 같으므로 ☐안에 알맞은 수는 7입니다.

✤ 한 원에서 원의 지름의 길이는 모두 같으므로 ☐안에 알맞은 수는 모두 10입니다.

[8-9] 원에 반지름을 2개씩 그어 보세요.

8 예

9 예

✤ 원의 중심과 원 위의 한 점을 잇습니다.

70 · Start 3-2

3. 원 · 71

교과서 **개념 확인** 문제

정답과 풀이 p.18

[10~11] 원에 지름을 2개씩 그어 보세요.

10 예

11 예

✤ 원 위의 두 점을 이은 선분이 원의 중심을 지나도록 긋습니다.

12 한 원에서 원의 중심은 몇 개일까요? ········· (①)
① 1개 ② 2개 ③ 3개
④ 10개 ⑤ 셀 수 없이 많습니다.
✤ 한 원에서 원의 중심은 1개뿐입니다.

13 한 원에 그을 수 있는 반지름은 몇 개일까요? ··· (⑤)
① 1개 ② 2개 ③ 3개
④ 10개 ⑤ 셀 수 없이 많습니다.
✤ 한 원에는 반지름을 무수히 많이 그을 수 있습니다.

14 그림을 보고 ☐ 안에 알맞은 수를 써넣으세요.

(원의 반지름)=(원의 지름)÷ 2

✤ 한 원에서 반지름은 지름의 반입니다.

[15~16] 원의 지름은 몇 cm인지 구해 보세요.

15

(**16 cm**)

✤ 원의 반지름이 8 cm이므로 지름은 8×2=16 (cm)입니다.

16

(**10 cm**)

✤ 원의 반지름이 5 cm이므로 지름은 5×2=10 (cm)입니다.

[17~18] 원의 반지름은 몇 cm인지 구해 보세요.

17

(**6 cm**)

✤ 원의 지름이 12 cm이므로 반지름은 12÷2=6 (cm)입니다.

18

(**7 cm**)

✤ 원의 지름이 14 cm이므로 반지름은 14÷2=7 (cm)입니다.

19 수찬이가 말한 원의 지름은 몇 cm인지 구해 보세요.

원 안에 가장 긴 선분을 긋고 길이를 재어 보니 40 cm였어.

수찬

(**40 cm**)

✤ 원 안에 그을 수 있는 가장 긴 선분이 원의 지름이므로 원의 지름은 40 cm입니다.

72 · Start 3-2

3. 원 · 73

교과서 **개념** 잡기

개념 ③ **컴퍼스를 이용하여 원 그리기**
• 컴퍼스를 이용하여 반지름이 3 cm인 원 그리기

1
원의 중심이 되는
점 ㅇ을 정합니다.

2
컴퍼스를 원의 반지름
만큼 벌립니다.

3
컴퍼스의 침을 점 ㅇ에
꽂고 원을 그립니다.

크기가 같은 원을 그리려면 원의 중심과 반지름의
길이를 알아야 합니다.
→ 크기가 같은 원은 반지름의 길이가 모두 같습니다.

올바른 컴퍼스 이용법
컴퍼스의 침을 수직으로 꽂을 수 있도록 컴퍼스의 손잡이를
적당히 꺾어 자연스럽게 돌립니다. 이때 연필도 수직으로
닿을 수 있도록 적당히 꺾어 줍니다.

개념 Check
◈ 컴퍼스를 4 cm가 되도록 벌린 것을 찾아 ○표 하세요.

( )

( )

(○)

---

1 컴퍼스를 이용하여 반지름이 5 cm인 원을 그리려고 합니다. 컴퍼스를 바르게 벌린 것
을 찾아 기호를 써 보세요.

가   나

(**가**)

❖ 반지름이 5 cm인 원을 그리려면 컴퍼스를 5 cm만큼 벌립니다.
컴퍼스를 5 cm만큼 벌린 것은 가입니다.

2 다음과 같이 컴퍼스를 벌려 원을 그렸습니다. 그린 원의 반지름은 몇 cm일까요?

(**6 cm**)

❖ 컴퍼스를 6 cm만큼 벌렸으므로 그린 원의 반지름은 6 cm입니다.

3 순서에 따라 반지름이 2 cm인 원을 그려 보세요.

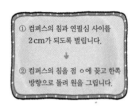
① 컴퍼스의 침과 연필심 사이를
2 cm가 되도록 벌립니다.
↓
② 컴퍼스의 침을 점 ㅇ에 꽂고 한쪽
방향으로 돌려 원을 그립니다.

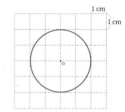

3
단원

교과서 **개념** 잡기

개념 ④ **원을 이용하여 여러 가지 모양 그리기**
• 다양한 크기의 원 그리기

원의 중심이 모두 같습니다.
반지름이 모눈 1칸씩 늘어납니다.

• 규칙을 찾아 원 그리기

원의 중심은 오른쪽으로 모눈 4칸씩
이동하였습니다.
반지름이 모두 모눈 2칸입니다.

• 똑같이 그리기

그리는 방법
정사각형을 그리고, 정사각형의 꼭짓점을 원의 중심으로
하는 원의 일부분을 4개 그립니다.
이때 원의 반지름은 정사각형의 한 변과 같습니다.

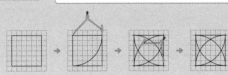

개념 Check
◈ 다음 모양을 보고 바르게 말한 친구를 찾아 ○표 하세요.

원의 반지름이
변하지
않았습니다.

원의 중심이
변하지
않았습니다.

---

1 주어진 모양을 그리기 위하여 컴퍼스의 침을 꽂아야 할 곳에 모두 • 표시를 하세요.

2 원 5개를 규칙에 따라 그렸습니다. 어떤 규칙인지 ☐ 안에 알맞은 수를 써넣으세요.

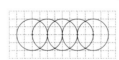
규칙 원의 중심은 오른쪽으로 모눈
☐2☐ 칸씩 이동하였습니다.
반지름이 모두 모눈 ☐2☐ 칸입니다.

3 주어진 모양과 똑같이 그리고 ☐ 안에 알맞은 수를 써넣으세요.

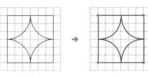

정사각형을 그리고, 정사각형의 꼭짓점을 원의 중심으로 하는 원의 일부분을
☐4☐ 개 그립니다.
이때 원의 지름은 정사각형의 한 변과 같습니다.

❖ 정사각형의 꼭짓점에서 각 원의 $\frac{1}{4}$ 만큼만 그립니다.

3
단원

교과서 개념 **play** 똑같이 그리기

주어진 모양과 똑같이 그려서 벽을 예쁘게 꾸며 보세요.

❖ 컴퍼스의 침을 꽂아야 할 곳을 찾아 똑같이 그려 봅니다.

3 단원

집중! 드릴 문제

정답과 풀이 p.20

[1~3] 컴퍼스를 이용하여 원을 그리려고 합니다. 컴퍼스를 바르게 벌린 것을 찾아 ○표 하세요.

1 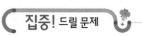 반지름이 2 cm인 원을 그릴 때

( )   (○)

❖ 컴퍼스를 이용하여 원을 그릴 때에는 컴퍼스를 원의 반지름만큼 벌립니다.
➡ 컴퍼스를 2 cm만큼 벌립니다.

2 반지름이 4 cm인 원을 그릴 때

(○)   ( )

❖ 컴퍼스를 4 cm만큼 벌립니다.

3 반지름이 3 cm 5 mm인 원을 그릴 때

( )   ( )

❖ 컴퍼스를 3 cm 5 mm만큼 벌립니다.

[4~6] 점 ㅇ을 원의 중심으로 하고 반지름이 다음과 같은 원을 그려 보세요.

4 반지름이 1 cm인 원

❖ 컴퍼스를 1 cm만큼 벌려서 그립니다.

5 반지름이 2 cm인 원

❖ 컴퍼스를 2 cm만큼 벌려서 그립니다.

6 반지름이 1 cm 5 mm인 원

❖ 컴퍼스를 1 cm 5 mm만큼 벌려서 그립니다.

[7~10] 주어진 모양을 그리기 위하여 컴퍼스의 침을 꽂아야 할 곳에 모두 •표시를 하세요.

7

8

9

10

[11~14] 원의 중심을 옮겨 가며 그린 모양에 ○표, 원의 중심을 옮기지 않고 그린 모양에 △표 하세요.

11
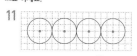
(○)

❖ 각각의 원의 중심을 찾아봅니다.

12

(△)

13
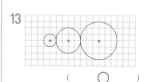
(○)

14
(○)

3 단원

교과서 개념 확인 문제

정답과 풀이 p.21

1 컴퍼스를 5 cm가 되도록 벌린 것을 찾아 기호를 써 보세요.

(㉢)

✤ 컴퍼스의 침이 눈금 0에 있고 연필심이 눈금 5에 있는 것을 찾으면
㉢입니다.

2 컴퍼스를 이용하여 반지름이 4 cm인 원을 그리는 순서입니다. □ 안에 알맞게 써넣으세요.

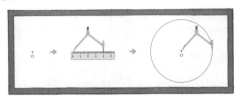

① 컴퍼스의 침과 연필심 사이를 **4** cm가 되도록 벌립니다.

② 컴퍼스의 침을 점 **ㅇ** 에 꽂고 원을 그립니다.

✤ 컴퍼스의 침과 연필심 사이를 반지름만큼 벌려야 하므로 4 cm가
되도록 벌려서 그립니다.

3 주어진 모양을 그리기 위하여 컴퍼스의 침을 꽂아야 할 곳에 모두 • 표시를 하세요.

(1)   (2)

4 다음 모양을 그리기 위하여 컴퍼스의 침을 꽂아야 할 곳은 모두 몇 군데인지 구해 보세요.

(**5군데**)

5 컴퍼스를 이용하여 지름이 6 cm인 원을 그리려고 합니다. 컴퍼스의 침과 연필심 사이를 몇 cm만큼 벌려야 하는지 써 보세요.

(**3 cm**)

✤ 컴퍼스의 침과 연필심 사이를 반지름만큼 벌려야 하므로
$6 \div 2 = 3$ (cm)만큼 벌려야 합니다.

6 반지름이 1 cm인 원과 반지름이 3 cm인 원을 각각 1개씩 그려 보세요.

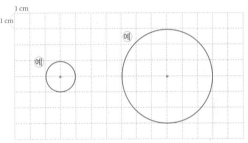

✤ 컴퍼스를 각각 1 cm와 3 cm만큼 벌려서 원을 그립니다.

교과서 개념 확인 문제

정답과 풀이 p.21

7 컴퍼스를 이용하여 반지름이 1.5 cm인 원을 그려 보세요.

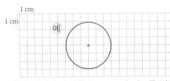

✤ 컴퍼스의 침과 연필심 사이를 1.5 cm가 되도록 벌려서 원을 그립
니다.

8 컴퍼스를 이용하여 주어진 선분을 반지름으로 하는 원을 그려 보세요.

✤ 선분의 길이를 재어 보면 2 cm이므로 반지름이 2 cm인 원을
그립니다.

9 주어진 모양과 똑같이 그려 보세요.

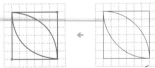

✤ 정사각형을 그리고, 정사각형의 꼭짓점을 원의 중심으로 하는 원의
일부분을 2개 그립니다. 이때 원의 반지름은 정사각형의 한 변과
같습니다.

[10~11] 원 4개를 규칙에 따라 그렸습니다. 물음에 답하세요.

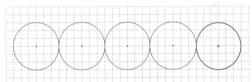

10 원 4개를 그린 규칙을 알아보려고 합니다. □ 안에 알맞은 수를 써넣으세요.

규칙 원의 중심은 오른쪽으로 모눈 **6** 칸씩 이동하고
반지름은 모눈 **3** 칸인 원이 반복됩니다.

11 규칙에 따라 원을 1개 더 그려 보세요.

✤ 원의 중심을 오른쪽으로 모눈 6칸 이동하고 반지름이 모눈 3칸인
원을 그립니다.

12 그림을 보고 규칙을 찾아 원을 1개 더 그려 보세요.

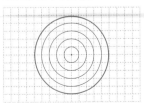

✤ 원의 중심은 움직이지 않고 원의 반지름이 모눈 1칸, 2칸, 3칸,
4칸으로 모눈 1칸씩 늘어나므로 반지름이 모눈 5칸인 원을 그립니다.

개념 확인평가 3. 원

맞은 개수

정답과 풀이 p.22

1 ☐ 안에 알맞은 말을 써넣으세요.

누름 못과 띠 종이를 이용하여 원을 그릴 때 누름 못이 꽂혔던 점을 원의 **중심** (이)라고 합니다.
또, 누름 못이 꽂혔던 점과 띠 종이에 연필을 넣은 구멍을 이은 선분을 원의 **반지름** (이)라고 합니다.

2 오른쪽 원에서 반지름을 나타내는 선분을 모두 찾아 써 보세요.

선분 ㅇㄹ(또는 선분 ㄹㅇ),
선분 ㅇㅁ(또는 선분 ㅁㅇ)

❖ 원의 중심과 원 위의 한 점을 이은 선분을 찾습니다.

3 원에 지름을 3개 그어 보세요.

예

❖ 원 위의 두 점을 이은 선분이 원의 중심을 지나도록 긋습니다.

[4~5] ☐ 안에 알맞은 수를 써넣으세요.

4

7 cm

❖ 한 원에서 지름의 길이는 모두 같습니다.

5

5 cm
5 cm

❖ 한 원에서 반지름의 길이는 모두 같습니다.

[6~7] ☐ 안에 알맞은 수를 써넣으세요.

6

6 cm
12 cm

❖ (원의 지름)=(원의 반지름)×2
=6×2
=12 (cm)

7

4 cm
8 cm

❖ (원의 반지름)=(원의 지름)÷2
=8÷2
=4 (cm)

[8~9] 다음 모양을 그리기 위하여 컴퍼스의 침을 꽂아야 하는 곳은 모두 몇 군데인지 구해 보세요.

8

(**4군데**)

9

(**3군데**)

10 다음과 같이 컴퍼스를 벌려 원을 그렸습니다. 그린 원의 지름은 몇 cm인지 써 보세요.

(**14 cm**)

❖ 컴퍼스를 7 cm만큼 벌렸으므로 그린 원의 반지름은 7 cm입니다. 따라서 그린 원의 지름은 7×2=14 (cm)입니다.

86 · Start 3-2

3. 원 · 87

개념 확인평가 3. 원

정답과 풀이 p.22

11 컴퍼스를 이용하여 지름이 4 cm인 원을 그려 보세요.

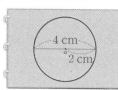
4 cm
2 cm

❖ 지름이 4 cm이므로 반지름은 4÷2=2 (cm)입니다.
➜ 컴퍼스를 2 cm만큼 벌려서 그립니다.

12 주어진 모양과 똑같이 그려 보세요.

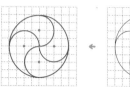

13 그림과 같이 원들이 맞닿도록 모눈종이에 반지름을 1칸씩 늘려 가며 차례로 원을 2개 더 그려 보세요.

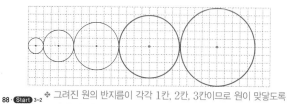

88 · Start 3-2

❖ 그려진 원의 반지름이 각각 1칸, 2칸, 3칸이므로 원이 맞닿도록 하여 반지름이 각각 4칸, 5칸인 원을 그립니다.

[GO! 매쓰]
여기까지 3단원 내용입니다.
다음부터는 4단원 내용이
시작합니다.

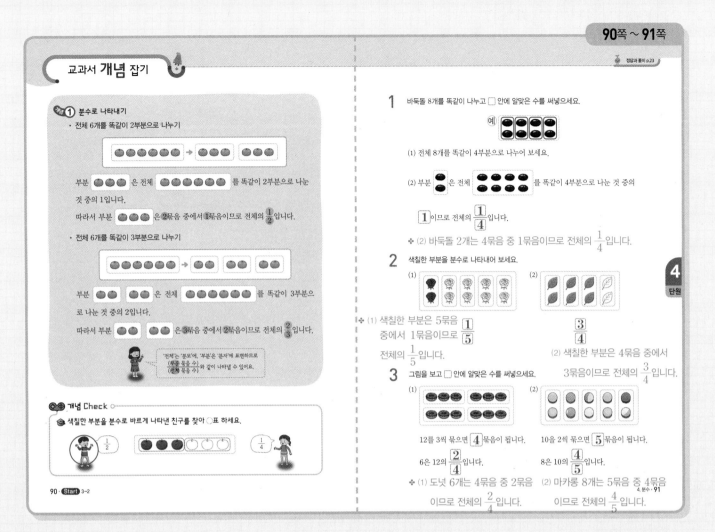

정답과 풀이 · p.23

교과서 개념 잡기

개념 ① 분수로 나타내기
• 전체 6개를 똑같이 2부분으로 나누기

부분 🍎🍎🍎 은 전체 🍎🍎🍎🍎🍎🍎 를 똑같이 2부분으로 나눈 것 중의 1입니다.
따라서 부분 🍎🍎🍎 은 2묶음 중에서 1묶음이므로 전체의 $\frac{1}{2}$입니다.

• 전체 6개를 똑같이 3부분으로 나누기

부분 🍎🍎 🍎🍎 은 전체 🍎🍎🍎🍎🍎🍎 를 똑같이 3부분으로 나눈 것 중의 2입니다.
따라서 부분 🍎🍎 🍎🍎 은 3묶음 중에서 2묶음이므로 전체의 $\frac{2}{3}$입니다.

전체는 '분모'에, '부분'은 '분자'에 표현하므로 $\frac{(부분\ 묶음\ 수)}{(전체\ 묶음\ 수)}$와 같이 나타낼 수 있어요.

개념 Check
색칠한 부분을 분수로 바르게 나타낸 친구를 찾아 ○표 하세요.
$\frac{1}{2}$ $\frac{1}{4}$

1 바둑돌 8개를 똑같이 나누고 ☐ 안에 알맞은 수를 써넣으세요.
(예)
(1) 전체 8개를 똑같이 4부분으로 나누어 보세요.
(2) 부분 은 전체 를 똑같이 4부분으로 나눈 것 중의 ☐**1**☐이므로 전체의 $\frac{1}{4}$입니다.
❖ (2) 바둑돌 2개는 4묶음 중 1묶음이므로 전체의 $\frac{1}{4}$입니다.

2 색칠한 부분을 분수로 나타내어 보세요.
(1)   (2)
❖ (1) 색칠한 부분은 5묶음 중에서 1묶음이므로 전체의 $\frac{1}{5}$입니다. $\frac{1}{5}$ $\frac{3}{4}$
(2) 색칠한 부분은 4묶음 중에서 3묶음이므로 전체의 $\frac{3}{4}$입니다.

3 그림을 보고 ☐ 안에 알맞은 수를 써넣으세요.
(1)   (2)
12를 3씩 묶으면 **4**묶음이 됩니다.   10을 2씩 묶으면 **5**묶음이 됩니다.
6은 12의 $\frac{2}{4}$입니다.   8은 10의 $\frac{4}{5}$입니다.
❖ (1) 도넛 6개는 4묶음 중 2묶음   (2) 마카롱 8개는 5묶음 중 4묶음
이므로 전체의 $\frac{2}{4}$입니다.   이므로 전체의 $\frac{4}{5}$입니다.

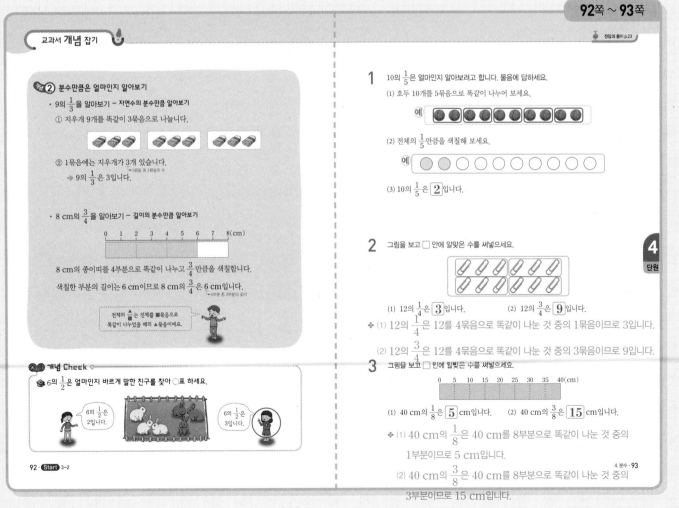

정답과 풀이 · p.23

교과서 개념 잡기

개념 ② 분수만큼은 얼마인지 알아보기
• 9의 $\frac{1}{3}$을 알아보기 - 자연수의 분수만큼 알아보기
① 지우개 9개를 똑같이 3묶음으로 나눕니다.

② 1묶음에는 지우개가 3개 있습니다.
→ 9의 $\frac{1}{3}$은 3입니다.

• 8 cm의 $\frac{3}{4}$을 알아보기 - 길이의 분수만큼 알아보기

0 1 2 3 4 5 6 7 8(cm)

8 cm의 종이띠를 4부분으로 똑같이 나누고 $\frac{3}{4}$만큼을 색칠합니다.
색칠한 부분의 길이는 6 cm이므로 8 cm의 $\frac{3}{4}$은 6 cm입니다.

전체의 $\frac{\blacksquare}{\blacktriangle}$는 전체를 ▲묶음으로 똑같이 나누었을 때의 ▲묶음이에요.

개념 Check
6의 $\frac{1}{2}$은 얼마인지 바르게 말한 친구를 찾아 ○표 하세요.
6의 $\frac{1}{2}$은 2입니다.   6의 $\frac{1}{2}$은 3입니다.

1 10의 $\frac{1}{5}$은 얼마인지 알아보려고 합니다. 물음에 답하세요.
(1) 호두 10개를 5묶음으로 똑같이 나누어 보세요.
(예)
(2) 전체의 $\frac{1}{5}$만큼을 색칠해 보세요.
(예)
(3) 10의 $\frac{1}{5}$은 **2**입니다.

2 그림을 보고 ☐ 안에 알맞은 수를 써넣으세요.
(1) 12의 $\frac{1}{4}$은 **3**입니다.   (2) 12의 $\frac{3}{4}$은 **9**입니다.
❖ (1) 12의 $\frac{1}{4}$은 12를 4묶음으로 똑같이 나눈 것 중의 1묶음이므로 3입니다.
(2) 12의 $\frac{3}{4}$은 12를 4묶음으로 똑같이 나눈 것 중의 3묶음이므로 9입니다.

3 그림을 보고 ☐ 안에 알맞은 수를 써넣으세요.
0 5 10 15 20 25 30 35 40(cm)
(1) 40 cm의 $\frac{1}{8}$은 **5** cm입니다.   (2) 40 cm의 $\frac{3}{8}$은 **15** cm입니다.
❖ (1) 40 cm의 $\frac{1}{8}$은 40 cm를 8부분으로 똑같이 나눈 것 중의 1부분이므로 5 cm입니다.
(2) 40 cm의 $\frac{3}{8}$은 40 cm를 8부분으로 똑같이 나눈 것 중의 3부분이므로 15 cm입니다.

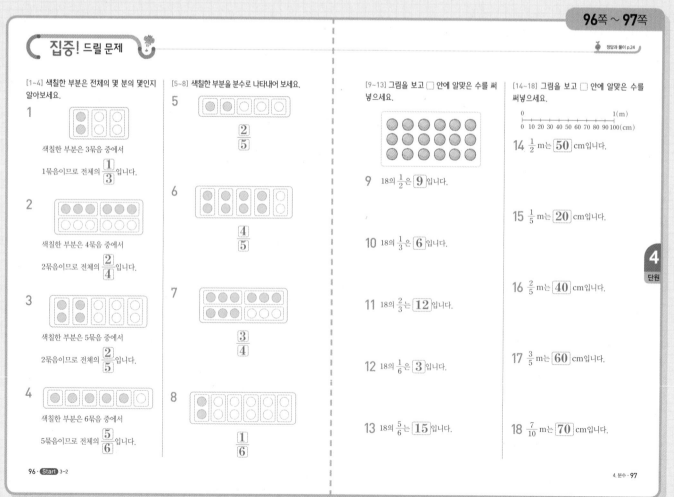

교과서 **개념 확인 문제**

정답과 풀이 p.25

1 색칠한 부분을 분수로 나타내어 보세요.

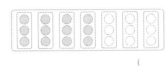

($\dfrac{4}{7}$)

❖ 색칠한 부분은 전체 7묶음 중에서 4묶음이므로 $\dfrac{4}{7}$입니다.

2 딸기 20개를 4개씩 묶고 □ 안에 알맞은 수를 써넣으세요.

(예)

(1) 20을 4씩 묶으면 **5** 묶음이 됩니다.

(2) 4는 20의 $\dfrac{1}{5}$ 입니다. ❖ (2) 4는 5묶음 중 1묶음이므로 20의 $\dfrac{1}{5}$입니다.

(3) 12는 20의 $\dfrac{3}{5}$ 입니다. (3) 12는 5묶음 중 3묶음이므로 20의 $\dfrac{3}{5}$입니다.

⌐ (1) 16의 $\dfrac{1}{8}$ 은 16을 8묶음으로 똑같이 나눈 것 중의 1묶음이므로 2입니다.

3 그림을 보고 □ 안에 알맞은 수를 써넣으세요.

(1) 16의 $\dfrac{1}{8}$ 은 **2** 입니다. (2) 16의 $\dfrac{3}{8}$ 은 **6** 입니다.

(2) 16의 $\dfrac{3}{8}$ 은 16을 8묶음으로 똑같이 나눈 것 중의 3묶음이므로 6입니다.

4 그림을 보고 □ 안에 알맞은 수를 써넣으세요.

(1) 25의 $\dfrac{2}{5}$ 는 **10** cm입니다. ❖ (1) 25 cm의 $\dfrac{2}{5}$ 는 25 cm를 5부분
으로 똑같이 나눈 것 중의 2부분이
(2) 25의 $\dfrac{4}{5}$ 는 **20** cm입니다. 므로 10 cm입니다.

(2) 25 cm의 $\dfrac{4}{5}$ 는 25 cm를 5부분
으로 똑같이 나눈 것 중의 4부분이
므로 20 cm입니다.

5 관계있는 것끼리 선으로 이어 보세요.

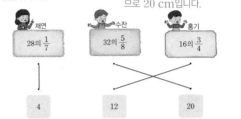

채연 수찬 홍기

28의 $\dfrac{1}{7}$ 32의 $\dfrac{5}{8}$ 16의 $\dfrac{3}{4}$

4 12 20

❖ · 28을 7묶음으로 똑같이 나눈 것 중의 1묶음이므로 4입니다.
· 32를 8묶음으로 똑같이 나눈 것 중의 5묶음이므로 20입니다.
· 16을 4묶음으로 똑같이 나눈 것 중의 3묶음이므로 12입니다.

6 □ 안에 알맞은 수를 써넣으세요.

(1) 36의 $\dfrac{1}{9}$ 은 **4** 입니다. (2) 40의 $\dfrac{5}{8}$ 는 **25** 입니다.

(3) 24의 $\dfrac{3}{4}$ 은 **18** 입니다. (4) 15의 $\dfrac{2}{3}$ 는 **10** 입니다.

❖ (1) 36을 9묶음으로 똑같이 나눈 것 중의 1묶음은 4입니다.
(2) 40을 8묶음으로 똑같이 나눈 것 중의 5묶음은 25입니다.
(3) 24를 4묶음으로 똑같이 나눈 것 중의 3묶음은 18입니다.
(4) 15를 3묶음으로 똑같이 나눈 것 중의 2묶음은 10입니다.

교과서 **개념 확인 문제**

정답과 풀이 p.25

7 크기를 비교하여 ○ 안에 >, =, <를 알맞게 써넣으세요.

18의 $\dfrac{2}{3}$ < 40의 $\dfrac{3}{8}$

❖ 18의 $\dfrac{2}{3}$ 는 12, 40의 $\dfrac{3}{8}$ 은 15입니다.

→ 12 < 15이므로 18의 $\dfrac{2}{3}$ < 40의 $\dfrac{3}{8}$ 입니다.

8 □ 안에 알맞은 수를 써넣고, 빨간색과 파란색으로 그 수만큼 색칠해 보세요.

(예)

20의 $\dfrac{1}{4}$ 은 빨간색 공입니다. → **5** 개

20의 $\dfrac{3}{4}$ 은 파란색 공입니다. → **15** 개

❖ 20을 4묶음으로 똑같이 나눈 것 중의 1묶음은 5이고, 3묶음은 15입니다.

9 □ 안에 알맞은 수를 써넣으세요.

❖ 1시간은 긴바늘이 숫자 눈금 12칸을 지나는 시간입니다.

(1) 1시간의 $\dfrac{1}{4}$ 은 **15** 분입니다. (1) 1시간의 $\dfrac{1}{4}$ 은 숫자 눈금 3칸을 지나는 시간이므로 15분입니다.

(2) 1시간의 $\dfrac{1}{6}$ 은 **10** 분입니다. (2) 1시간의 $\dfrac{1}{6}$ 은 숫자 눈금 2칸을 지나는 시간이므로 10분입니다.

10 나타내는 길이가 나머지와 다른 하나를 찾아 기호를 써 보세요.

㉠ 15 cm의 $\dfrac{2}{5}$ ㉡ 27 cm의 $\dfrac{3}{9}$ ㉢ 16 cm의 $\dfrac{3}{8}$

(㉡)

❖ ㉠ 6 cm ㉡ 9 cm ㉢ 6 cm이므로 나타내는 길이가 나머지와 다른 하나는 ㉡입니다.

11 잘못 이야기한 사람을 찾아 이름을 써 보세요.

4는 10의 $\dfrac{2}{5}$ 야. 15는 21의 $\dfrac{4}{7}$ 야.

채연 홍기

(홍기)

❖ 21을 3씩 묶으면 15는 7묶음 중 5묶음이므로 $\dfrac{5}{7}$ 입니다.

12 정훈이는 사탕 18개 중 $\dfrac{5}{6}$ 만큼을 친구에게 주었습니다. 정훈이가 친구에게 준 사탕은 몇 개인지 구해 보세요.

(15개)

❖ 18의 $\dfrac{5}{6}$ 는 18을 6묶음으로 똑같이 나눈 것 중의 5묶음이므로 15입니다.

교과서 개념 잡기

정답과 풀이 p.26

개념 ③ 여러 가지 분수 알아보기

· 진분수와 가분수 알아보기

$\frac{1}{4}$, $\frac{2}{4}$, $\frac{3}{4}$과 같이 분자가 분모보다 작은 분수를 진분수라고 합니다.

$\frac{4}{4}$, $\frac{5}{4}$와 같이 분자가 분모와 같거나 분모보다 큰 분수를 가분수라고 합니다.

$\frac{4}{4}$는 1과 같습니다. 1, 2, 3과 같은 수를 자연수라고 합니다.
→ 0은 자연수가 아닙니다.

· 대분수 알아보기

1과 $\frac{1}{4}$을 $1\frac{1}{4}$이라 쓰고, 1과 4분의 1이라고 읽습니다.

$1\frac{1}{4}$과 같이 자연수와 진분수로 이루어진 분수를 대분수라고 합니다.

· 대분수를 가분수로, 가분수를 대분수로 나타내기

개념 Check

◎ 진분수, 가분수, 대분수를 바르게 말한 친구를 찾아 ○표 하세요.

102 · Start 3-2

---

1 보기 를 보고 □ 안에 알맞은 수를 써넣으세요.

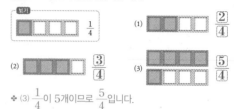

❖ (3) $\frac{1}{4}$이 5개이므로 $\frac{5}{4}$입니다.

2 진분수는 '진', 가분수는 '가', 대분수는 '대'를 써 보세요.

(1) $\frac{5}{2}$ (가)　　　　(2) $3\frac{3}{5}$ (대)

❖ 분자가 분모보다 작은 분수를 진분수, 분자가 분모와 같거나 분모보다 큰 분수를 가분수, 자연수와 진분수로 이루어진 분수를 대분수라고 합니다.

[3~4] 그림을 보고 대분수는 가분수로, 가분수는 대분수로 나타내어 보세요.

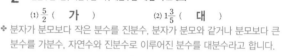

$1\frac{3}{4} = \frac{\boxed{7}}{\boxed{4}}$

❖ 큰 사각형 1개를 $\frac{1}{4}$씩 똑같이 나누면 $\frac{1}{4}$씩 7칸을 색칠한 것과 같으므로 $1\frac{3}{4}$은 $\frac{7}{4}$로 나타낼 수 있습니다.

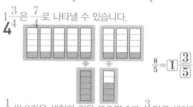

$\frac{8}{5} = \boxed{1}\frac{\boxed{3}}{\boxed{5}}$

❖ $\frac{1}{5}$씩 8칸을 색칠한 것을 모으면 1과 $\frac{3}{5}$만큼 색칠한 것과 같으므로 $\frac{8}{5}$은 $1\frac{3}{5}$으로 나타낼 수 있습니다.

4. 분수 · 103

교과서 개념 잡기

정답과 풀이 p.26

개념 ④ 분모가 같은 분수의 크기 비교하기

· 분모가 같은 가분수의 크기 비교
분자의 크기가 큰 가분수가 더 큽니다.

 $\frac{3}{2} < \frac{7}{2}$, $\frac{7}{5} > \frac{6}{5}$

· 분모가 같은 대분수의 크기 비교
① 자연수 부분이 다르면 자연수 부분이 클수록 더 큽니다.

예 $3\frac{1}{5} > 1\frac{3}{5}$

② 자연수 부분이 같으면 진분수의 분자가 클수록 더 큽니다.

예 $2\frac{2}{7}$와 $2\frac{5}{7}$의 크기 비교

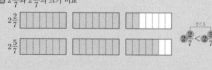

$2\frac{2}{7} < 2\frac{5}{7}$

· 분모가 같은 대분수와 가분수의 크기 비교
가분수 또는 대분수로 모두 나타내어 분수의 크기를 비교합니다.

예 $\frac{9}{4}$와 $1\frac{3}{4}$의 크기 비교

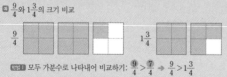

방법1 모두 가분수로 나타내어 비교하기: $\frac{9}{4} > \frac{7}{4}$ → $\frac{9}{4} > 1\frac{3}{4}$

방법2 모두 대분수로 나타내어 비교하기: $2\frac{1}{4} > 1\frac{3}{4}$ → $\frac{9}{4} > 1\frac{3}{4}$

104 · Start 3-2

---

1 $\frac{8}{7}$과 $\frac{11}{7}$의 크기를 비교하려고 합니다. 물음에 답하세요.

(1) $\frac{8}{7}$과 $\frac{11}{7}$을 수직선에 나타내어 보세요.

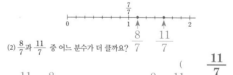

(2) $\frac{8}{7}$과 $\frac{11}{7}$ 중 어느 분수가 더 클까요?

($\frac{11}{7}$)

❖ $\frac{11}{7}$이 $\frac{8}{7}$보다 오른쪽에 있으므로 $\frac{8}{7} < \frac{11}{7}$입니다.

2 그림을 보고 분수의 크기를 비교하여 ○ 안에 >, =, <를 알맞게 써넣으세요.

$2\frac{4}{5}$ ⟩ $2\frac{2}{5}$

❖ 색칠한 부분을 비교하면 $2\frac{4}{5}$가 더 큽니다.

3 분수의 크기를 비교하여 ○ 안에 >, =, <를 알맞게 써넣고, 알맞은 말에 ○표 하세요.

$2\frac{4}{11}$ ⦵ $3\frac{2}{11}$

(자연수 부분, 분자)의 크기를 비교하면 $2\frac{4}{11}$가 $3\frac{2}{11}$보다 더 (큽니다, 작습니다).

4 $2\frac{3}{8}$과 $\frac{17}{8}$의 크기를 비교하려고 합니다. 물음에 답하세요.

(1) $2\frac{3}{8}$을 가분수로 나타내어 보세요.

($\frac{19}{8}$)

(2) $2\frac{3}{8}$과 $\frac{17}{8}$ 중 더 큰 분수를 써 보세요.

($2\frac{3}{8}$)

❖ (1) $2\frac{3}{8}$ → 2와 $\frac{3}{8}$ → $\frac{16}{8}$과 $\frac{3}{8}$ → $\frac{19}{8}$

(2) $\frac{19}{8} > \frac{17}{8}$이므로 $2\frac{3}{8}$이 더 큰 분수입니다.

4. 분수 · 105

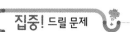 집중! 드릴 문제

정답과 풀이 p.27

[1~6] 진분수는 '진', 가분수는 '가', 대분수는 '대'를 써 보세요.

1 $5\frac{4}{7}$ → (대)

2 $\frac{11}{5}$ → (가)

3 $\frac{13}{13}$ → (가)

4 $\frac{9}{11}$ → (진)

5 $\frac{23}{22}$ → (가)

6 $3\frac{8}{15}$ → (대)

[7~12] 대분수를 가분수로 나타내어 보세요.

7 $2\frac{1}{6} = \frac{\boxed{13}}{6}$

8 $5\frac{2}{3} = \frac{17}{3}$

9 $4\frac{3}{11} = \frac{47}{11}$

10 $3\frac{5}{7} = \frac{26}{7}$

11 $4\frac{2}{9} = \frac{38}{9}$

12 $8\frac{3}{5} = \frac{43}{5}$

[13~18] 가분수를 대분수로 나타내어 보세요.

13 $\frac{8}{7} = \boxed{1}\frac{\boxed{1}}{7}$

14 $\frac{25}{3} = 8\frac{1}{3}$

15 $\frac{35}{6} = 5\frac{5}{6}$

16 $\frac{13}{4} = 3\frac{1}{4}$

17 $\frac{60}{7} = 8\frac{4}{7}$

18 $\frac{79}{11} = 7\frac{2}{11}$

[19~24] 두 분수의 크기를 비교하여 ○ 안에 >, =, <를 알맞게 써넣으세요.

19 $\frac{51}{7}$ ⬦< $\frac{55}{7}$

20 $2\frac{7}{8}$ ⬦< $3\frac{1}{8}$

21 $2\frac{4}{9}$ ⬦> $2\frac{1}{9}$

22 $2\frac{1}{7}$ ⬦= $\frac{15}{7}$

23 $\frac{40}{4}$ ⬦> $9\frac{1}{4}$

✤ $\frac{40}{4} = 10$이므로 $\frac{40}{4} > 9\frac{1}{4}$
입니다.

24 $6\frac{1}{3}$ ⬦< $\frac{20}{3}$

✤ $6\frac{1}{3} = \frac{19}{3}$이므로 $6\frac{1}{3} < \frac{20}{3}$
입니다.

교과서 **개념 확인 문제**

정답과 풀이 p.28

1 그림을 보고 대분수와 가분수로 각각 나타내어 보세요.

❖ 모두 색칠한 큰 원이 1개이고
$\frac{1}{5}$씩 2칸 색칠했으므로 $1\frac{2}{5}$입니다.

또 $\frac{1}{5}$씩 7칸 색칠했으므로 $\frac{7}{5}$입니다.

대분수 ($1\frac{2}{5}$)
가분수 ($\frac{7}{5}$)

2 대분수를 찾아 ○표 하세요.

( ) (○) ( )

❖ 자연수와 진분수로 이루어진 분수는 $2\frac{8}{9}$입니다.

3 진분수를 모두 찾아 ○표 하세요.

$\frac{4}{5}$ $2\frac{1}{3}$ $\frac{6}{5}$ $\frac{7}{7}$ $\frac{11}{9}$ $\frac{1}{4}$ $1\frac{3}{8}$

❖ 분자가 분모보다 작은 분수를 모두 찾으면 $\frac{4}{5}$, $\frac{1}{4}$입니다.

4 □ 안에 알맞은 수를 써넣으세요.

$\frac{1}{5}$ **$\frac{5}{5}$**   **$\frac{10}{5}$**

❖ $1=\frac{5}{5}$, $2=\frac{10}{5}$

110 · Start 3-2

5 가분수를 찾아 ○표 하세요.

(1)
$\frac{6}{4}$ $1\frac{3}{4}$
○

(2)
$\frac{2}{9}$ $\frac{10}{7}$
○

❖ 가분수는 분자가 분모와 같거나 분모보다 큰 분수입니다.

6 대분수는 가분수로, 가분수는 대분수로 나타내어 보세요.

(1) $1\frac{3}{8}=\frac{\boxed{11}}{\boxed{8}}$

(2) $3\frac{2}{5}=\frac{\boxed{17}}{\boxed{5}}$

(3) $\frac{11}{9}=\boxed{1}\frac{\boxed{2}}{\boxed{9}}$

(4) $\frac{14}{3}=\boxed{4}\frac{\boxed{2}}{\boxed{3}}$

❖ (1) $1\frac{3}{8}$ → (1과 $\frac{3}{8}$) → ($\frac{8}{8}$과 $\frac{3}{8}$) → $\frac{11}{8}$

(3) $\frac{11}{9}$ → ($\frac{9}{9}$와 $\frac{2}{9}$) → (1과 $\frac{2}{9}$) → $1\frac{2}{9}$

7 수직선을 보고 두 분수의 크기를 비교하여 ○ 안에 >, <를 알맞게 써넣으세요.

$\frac{7}{6}$ $\bigcirc<$ $\frac{10}{6}$

❖ 수직선을 보면 $\frac{10}{6}$이 $\frac{7}{6}$보다 오른쪽에 있으므로 $\frac{7}{6}<\frac{10}{6}$입니다.

8 자연수 부분이 6이고 분모가 3인 대분수를 모두 써 보세요.

($6\frac{1}{3}$, $6\frac{2}{3}$)

❖ 대분수의 분수 부분이 분모가 3인 진분수이므로 분수 부분은 $\frac{1}{3}$, $\frac{2}{3}$입니다.

4. 분수 · 111

교과서 **개념 확인 문제**

정답과 풀이 p.28

9 대분수를 가분수로 바르게 나타낸 것을 찾아 선으로 이어 보세요.

$2\frac{3}{11}$ $3\frac{5}{11}$

$\frac{25}{11}$ $\frac{32}{11}$ $\frac{38}{11}$

❖ $2\frac{3}{11}$ → 2와 $\frac{3}{11}$ → $\frac{22}{11}$와 $\frac{3}{11}$ → $\frac{25}{11}$

$3\frac{5}{11}$ → 3과 $\frac{5}{11}$ → $\frac{33}{11}$과 $\frac{5}{11}$ → $\frac{38}{11}$

10 사다리를 타고 내려가 도착한 곳이 참이면 ○표, 거짓이면 ×표 하세요.

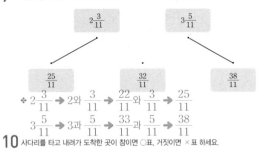

$4\frac{1}{3}$ $\frac{5}{7}$ $\frac{15}{9}$

$\frac{15}{9}$ 대분수   가분수 $4\frac{1}{3}$ 진분수 $\frac{5}{7}$
(×)   (×)   (○)

❖ $4\frac{1}{3}$ — 가분수 (×), $\frac{5}{7}$ — 진분수 (○), $\frac{15}{9}$ — 대분수 (×)

11 분수의 크기를 비교하여 ○ 안에 >, =, <를 알맞게 써넣으세요.

(1) $\frac{9}{7}$ $\bigcirc<$ $\frac{13}{7}$

(2) $3\frac{1}{5}$ $\bigcirc>$ $2\frac{3}{5}$

❖ (1) $\frac{9}{7}$ $\bigcirc<$ $\frac{13}{7}$
$9<13$

(2) $3\frac{1}{5}$ $\bigcirc>$ $2\frac{3}{5}$
$3>2$

112 · Start 3-2

12 $\frac{15}{8}$와 $2\frac{1}{8}$ 중 어느 분수가 더 큰지 두 가지 방법으로 알아보세요.

 $\frac{15}{8}$를 대분수로 나타내면 $\boxed{1\frac{7}{8}}$이므로 $\frac{15}{8}$와 $2\frac{1}{8}$ 중 더 큰 분수는 $\boxed{2\frac{1}{8}}$입니다.

 $2\frac{1}{8}$을 가분수로 나타내면 $\boxed{\frac{17}{8}}$이므로 $\frac{15}{8}$와 $2\frac{1}{8}$ 중 더 큰 분수는 $\boxed{2\frac{1}{8}}$입니다.

❖ 방법1 $\frac{15}{8}$ → ($\frac{8}{8}$과 $\frac{7}{8}$) → (1과 $\frac{7}{8}$) → $1\frac{7}{8}$, $1\frac{7}{8}<2\frac{1}{8}$이므로 더 큰 분수는 $2\frac{1}{8}$입니다.

13 다음을 읽고 채연이가 수학 공부를 한 시간은 몇 시간인지 가분수로 나타내어 보세요.

채연 | 나는 수학 공부를 $1\frac{1}{7}$시간 동안 했어.

($\frac{8}{7}$시간)

❖ $1\frac{1}{7}$ → (1과 $\frac{1}{7}$) → $\frac{7}{7}$과 $\frac{1}{7}$ → $\frac{8}{7}$

14 세 분수 중에서 가장 작은 분수를 찾아 기호를 써 보세요.

㉠ $6\frac{5}{14}$ ㉡ $8\frac{9}{14}$ ㉢ $6\frac{7}{14}$

(㉠)

❖ 자연수 부분이 6<8이므로 $8\frac{9}{14}$가 가장 큽니다.

$6\frac{5}{14}$와 $6\frac{7}{14}$은 자연수 부분이 같으므로 분자의 크기를 비교합니다.

→ 5<7이므로 $6\frac{5}{14}<6\frac{7}{14}$입니다.

따라서 가장 작은 분수는 ㉠ $6\frac{5}{14}$입니다.

4. 분수 · 113

개념 확인평가 🐞
4. 분수   맞은 개수

1 그림을 보고 □ 안에 알맞은 수를 써넣으세요.

(1) 부분  은 전체 를 똑같이 3부분으로

나눈 것 중의 **1** 입니다.

(2) 전체를 똑같이 3부분으로 나눈 것 중의 1은 $\frac{1}{3}$ 입니다.

2 □ 안에 알맞은 수를 써넣으세요.

15를 3씩 묶으면 **5** 묶음이 됩니다. 6은 15의 $\frac{2}{5}$ 입니다.

3 10 cm의 종이띠를 $\frac{3}{5}$ 만큼 색칠하고, □ 안에 알맞은 수를 써넣으세요.

(예)
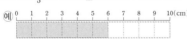

10 cm의 $\frac{3}{5}$ 는 **6** cm입니다.

❖ 10 cm의 $\frac{3}{5}$ 은 10 cm를 똑같이 5로 나눈 것 중의 3이므로 6 cm입니다.

❖ (1) 8장을 2장씩 묶으면 4묶음이 됩니다.
4장은 4묶음 중 2묶음이므로 4장은 8장의 $\frac{2}{4}$ 입니다.

4 8장의 카드를 보고 물음에 답하세요.

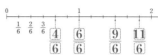

(1) 카드를 2장씩 묶으면 4장은 8장의 $\frac{2}{4}$ 입니다.

(2) 8장의 $\frac{3}{4}$ 은 몇 장일까요?

(6장   )

(2) 8장을 2장씩 4묶음으로 나눈 것 중의 3묶음이므로 6장입니다.

5 분모가 6인 분수를 수직선에 나타내어 보세요.

❖ $\frac{1}{6}$ 이 ■개이면 $\frac{■}{6}$ 입니다.

6 진분수는 ○표, 가분수는 △표, 대분수는 □표 하세요.

$(\frac{3}{17})$ $\triangle(\frac{7}{7})$ $\boxed{1\frac{3}{8}}$ $\triangle(2\frac{6}{19})$ $(\frac{8}{101})$

❖ 진분수는 분자가 분모보다 작은 분수이고, 가분수는 분자가 분모와 같거나 분모보다 큰 분수입니다.

7 그림을 보고 대분수와 가분수로 각각 나타내어 보세요.

❖ 모두 색칠한 육각형이 2개이고
$\frac{1}{6}$ 씩 5칸 색칠했으므로 대분수로 나타내면 $2\frac{5}{6}$ 입니다. 가분수로 나타내면 $\frac{17}{6}$ 입니다.

대분수 ($2\frac{5}{6}$)
가분수 ($\frac{17}{6}$)

개념 확인평가 🐞
4. 분수

❖ $\frac{19}{8}$ → ($\frac{16}{8}$ 과 $\frac{3}{8}$) → (2와 $\frac{3}{8}$) → $2\frac{3}{8}$, $\frac{15}{8}$ → ($\frac{8}{8}$ 과 $\frac{7}{8}$) → (1과 $\frac{7}{8}$) → $1\frac{7}{8}$

8 가분수를 대분수로 바르게 나타낸 것을 찾아 선으로 이어 보세요.

$\frac{19}{8}$ $\frac{15}{8}$ $\frac{29}{8}$

$3\frac{5}{8}$ $2\frac{3}{8}$ $1\frac{7}{8}$

$\frac{29}{8}$ → ($\frac{24}{8}$ 과 $\frac{5}{8}$) → (3과 $\frac{5}{8}$) → $3\frac{5}{8}$

9 □ 안에 알맞은 수를 써넣고, 분홍색과 하늘색으로 그 수만큼 색칠해 보세요.

(예)

10의 $\frac{2}{5}$ 는 분홍색 구슬입니다. → **4** 개

10의 $\frac{3}{5}$ 은 하늘색 구슬입니다. → **6** 개

❖ 10개를 5묶음으로 똑같이 나눈 것 중의 2묶음은 4개이고, 3묶음은 6개입니다.

10 유미는 막대 과자의 $\frac{3}{5}$ 을 먹었습니다. 그림을 보고 유미가 먹은 막대 과자는 몇 개인지 구해 보세요.

(9개   )

❖ 15개를 3개씩 묶으면 5묶음이고 이 중 3묶음은 9개입니다.

11 분수를 큰 순서대로 써 보세요.

$2\frac{5}{7}$ $\frac{18}{7}$ $3\frac{1}{7}$ → $3\frac{1}{7}$ > $2\frac{5}{7}$ > $\frac{18}{7}$

❖ $\frac{18}{7}$ = $2\frac{4}{7}$ 이므로 $3\frac{1}{7}$ > $2\frac{5}{7}$ > $\frac{18}{7}$ (= $2\frac{4}{7}$)입니다.

[GO! 매쓰]
여기까지 4단원 내용입니다.
다음부터는 5단원 내용이
시작합니다.

교과서 **개념 잡기**

정답과 풀이 p.30

개념 ① 들이 비교하기 — 주스병과 물병의 들이 비교하기

방법1 한쪽에 옮겨 담아 비교하기

주스병에 채운 물이 물병에 다 들어갔으므로 물병의 들이가 더 많습니다.

방법2 같은 그릇에 옮겨 담아 비교하기

물병에 담긴 물의 높이가 더 높으므로 물병의 들이가 더 많습니다.

방법3 같은 단위로 비교하기

3 < 5이므로 물병의 들이가 더 많습니다.

개념 ② 들이의 단위 알아보기

들이의 단위에는 리터와 밀리리터 등이 있습니다. 1 리터는 1 L, 1 밀리리터는 1 mL라고 씁니다.

$$1\,L \qquad 1\,mL$$

1 리터는 1000 밀리리터와 같습니다.

> 1 L = 1000 mL

1 L보다 300 mL 더 많은 들이를 1 L 300 mL라 쓰고 1 리터 300 밀리리터 라고 읽습니다. 1 L는 1000 mL와 같으므로 1 L 300 mL는 1300 mL입니다.

> 1 L 300 mL = 1300 mL

118 · Start 3-2

1 가 그릇에 물을 가득 채운 후 나 그릇에 옮겨 담았습니다. 오른쪽과 같이 물을 채우고 흘러 넘쳤을 때에 가와 나 중 들이가 더 많은 것은 어느 것인지 써 보세요.

(**가**)

❖ 물이 넘쳤으므로 가의 들이가 더 많습니다.

2 주전자와 냄비에 물을 가득 채운 후 모양과 크기가 같은 그릇에 옮겨 담았습니다. 오른쪽과 같이 물을 채웠을 때에 주전자와 냄비 중 들이가 더 많은 것은 어느 것인지 써 보세요.

(**주전자**)

❖ 주전자에서 그릇에 옮긴 물의 높이가 더 높으므로 주전자의 들이가 더 많습니다.

3 주어진 들이를 쓰고 읽어 보세요.

3 L 500 mL

쓰기 **3 L 500 mL**
읽기 (**3 리터 500 밀리리터**)

4 ☐ 안에 알맞은 수를 써넣으세요.

(1) 2 L = **2000** mL   (2) 1 L 600 mL = **1600** mL

(3) 5000 mL = **5** L   (4) 3700 mL = **3** L **700** mL

❖ 1 L = 1000 mL임을 이용합니다.

5. 들이와 무게 · 119

교과서 **개념 잡기**

정답과 풀이 p.30

개념 ③ 들이를 어림하고 재어 보기

들이를 어림하여 말할 때는 약 ☐ L 또는 약 ☐ mL라고 합니다.

500 mL   약 500 mL   약 200 mL   약 1 L

개념 ④ 들이의 덧셈과 뺄셈

· 들이의 덧셈: L는 L끼리 더하고, mL는 mL끼리 더합니다.

```
   2 L   400 mL          3 L   800 mL
+  2 L   300 mL       +  1 L   500 mL
   4 L   700 mL          5 L   300 mL
```

mL끼리의 합이 1000이거나 1000 mL를 넘으면 1000 mL를 1 L로 받아올림합니다.

800 mL + 500 mL = 1300 mL이므로 1000 mL를 1 L로 받아올림합니다.

· 들이의 뺄셈: L는 L끼리 빼고, mL는 mL끼리 뺍니다.

```
   5 L   600 mL          4 L  1000
-  1 L   200 mL       -  1 L   900 mL
   4 L   400 mL          2 L   800 mL
```

mL끼리 뺄 수 없으면 1 L를 1000 mL로 받아내림합니다.

700 mL에서 900 mL를 뺄 수 없으므로 1 L를 1000 mL로 받아내림합니다.

개념 Check

냄비의 들이를 바르게 어림한 친구를 찾아 ○표 하세요.

냄비의 들이는 약 2 mL입니다.

냄비의 들이는 약 2 L입니다.

120 · Start 3-2

1 들이가 약 1 L인 것에 ○표 하세요.

 →

200 mL   ( )   (○)

❖ 요구르트병의 들이는 1 L보다 적습니다.

2 ☐ 안에 L와 mL 중에서 알맞은 단위를 써넣으세요.

(1)   (2)

컵의 들이는 약 100 **mL**입니다.

욕조의 들이는 약 300 **L**입니다.

3 ☐ 안에 알맞은 수를 써넣으세요.

```
(1)    1 L   200 mL       (2)    ☐   600 mL
    +  2 L   100 mL          +  1 L   600 mL
       3 L   300 mL             6 L   200 mL
```

❖ (2) 600 mL + 600 mL = 1200 mL이므로 1000 mL를 1 L로 받아올림합니다.

4 ☐ 안에 알맞은 수를 써넣으세요.

```
(1)    3 L   800 mL       (2)    6    1000
    -  2 L   500 mL          -  7 L   300 mL
       1 L   300 mL          -  4 L   700 mL
                               2 L   600 mL
```

❖ (2) 300 mL - 700 mL를 계산할 수 없으므로 1 L를 1000 mL로 받아내림합니다.

5. 들이와 무게 · 121

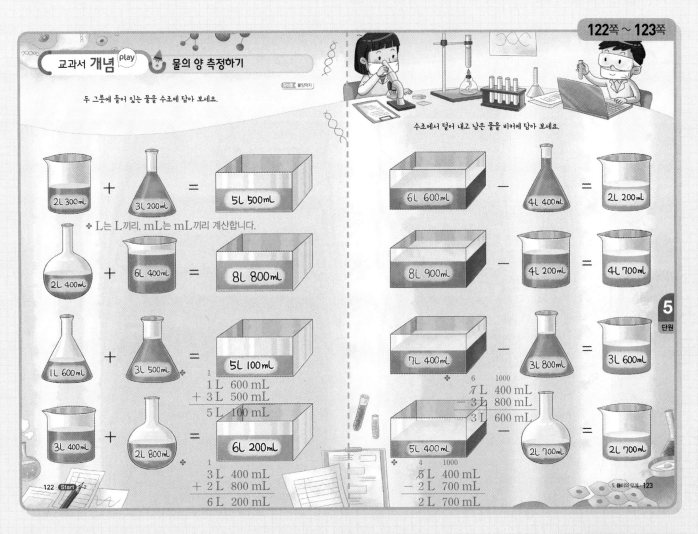

교과서 개념 play 물의 양 측정하기

두 그릇에 들어 있는 물을 수조에 담아 보세요.

수조에서 덜어 내고 남은 물을 비커에 담아 보세요.

5 단원

집중! 드릴 문제

정답과 풀이 p.31

[1~6] □ 안에 알맞은 수를 써넣으세요.

1 4 L = $\boxed{4000}$ mL
❖ 1 L = 1000 mL임을 이용합니다.

2 1 L 600 mL = $\boxed{1600}$ mL

3 2 L 820 mL = $\boxed{2820}$ mL

4 3000 mL = $\boxed{3}$ L

5 1700 mL = $\boxed{1}$ L $\boxed{700}$ mL

6 6380 mL = $\boxed{6}$ L $\boxed{380}$ mL

[7~12] □ 안에 L와 mL 중에서 알맞은 단위를 써넣으세요.

7 약병의 들이는 약 35 $\boxed{mL}$ 입니다.

8 종이컵의 들이는 약 150 $\boxed{mL}$ 입니다.

9 양동이의 들이는 약 4 $\boxed{L}$ 입니다.

10 간장병의 들이는 약 1 $\boxed{L}$ 입니다.

11 주사기의 들이는 약 10 $\boxed{mL}$ 입니다.

12 수조의 들이는 약 5 $\boxed{L}$ 입니다.

[13~17] 계산해 보세요.

13
$$\begin{array}{r} 3\ L\ \ 400\ mL \\ +\ 2\ L\ \ 200\ mL \\ \hline \mathbf{5\ L\ 600\ mL} \end{array}$$

14
$$\begin{array}{r} 4\ L\ \ 250\ mL \\ +\ 4\ L\ \ 130\ mL \\ \hline \mathbf{8\ L\ 380\ mL} \end{array}$$

15
$$\begin{array}{r} 1\ \ \ \ \ \ \ \ \ \ \ \\ 1\ L\ \ 700\ mL \\ +\ 3\ L\ \ 500\ mL \\ \hline \mathbf{5\ L\ 200\ mL} \end{array}$$

16 3 L 500 mL + 4 L 300 mL
= **7 L 800 mL**
❖
$$\begin{array}{r} 3\ L\ \ 500\ mL \\ +\ 4\ L\ \ 300\ mL \\ \hline 7\ L\ \ 800\ mL \end{array}$$

17 5 L 400 mL + 3 L 900 mL
= **9 L 300 mL**
❖
$$\begin{array}{r} 1\ \ \ \ \ \ \ \ \ \ \ \\ 5\ L\ \ 400\ mL \\ +\ 3\ L\ \ 900\ mL \\ \hline 9\ L\ \ 300\ mL \end{array}$$

[18~22] 계산해 보세요.

18
$$\begin{array}{r} 5\ L\ \ 500\ mL \\ -\ 1\ L\ \ 300\ mL \\ \hline \mathbf{4\ L\ 200\ mL} \end{array}$$

19
$$\begin{array}{r} 4\ L\ \ 860\ mL \\ -\ 2\ L\ \ 550\ mL \\ \hline \mathbf{2\ L\ 310\ mL} \end{array}$$

20
$$\begin{array}{r} 2\ \ \ 1000\ \\ 3\ L\ \ 200\ mL \\ -\ 1\ L\ \ 500\ mL \\ \hline \mathbf{1\ L\ 700\ mL} \end{array}$$

21 6 L 800 mL − 4 L 700 mL
= **2 L 100 mL**
❖
$$\begin{array}{r} 6\ L\ \ 800\ mL \\ -\ 4\ L\ \ 700\ mL \\ \hline 2\ L\ \ 100\ mL \end{array}$$

22 7 L 300 mL − 2 L 600 mL
= **4 L 700 mL**
❖
$$\begin{array}{r} 6\ \ \ 1000\ \\ 7\ L\ \ 300\ mL \\ -\ 2\ L\ \ 600\ mL \\ \hline 4\ L\ \ 700\ mL \end{array}$$

5 단원

교과서 개념 확인 문제

정답과 풀이 p.32

1 우유병에 물을 가득 채운 후 주스병에 옮겨 담았습니다. 오른쪽 그림과 같이 물을 채웠을 때에 우유병과 주스병 중 들이가 더 많은 것은 어느 것인지 써 보세요.

우유병
주스병

(**주스병**)

✢ 우유병에 가득 채운 물이 다 들어갔으므로 주스병의 들이가 더 많습니다.

2 물의 양이 얼마인지 눈금을 읽고 □ 안에 알맞은 수를 써넣으세요.

→ **500** mL

✢ 물의 높이가 가리키는 눈금을 읽으면 500 mL입니다.

[3~4] 기름병과 간장병에 물을 가득 채운 후 모양과 크기가 같은 컵에 옮겨 담았습니다. 물음에 답하세요.

기름병
간장병

3 기름병과 간장병 중 들이가 더 많은 것은 어느 것일까요?

(**기름병**)

✢ 기름병은 컵으로 10개, 간장병은 컵으로 8개입니다.
→ 10 > 8이므로 기름병의 들이가 더 많습니다.

4 □ 안에 알맞은 말이나 수를 써넣으세요.

기름병 이 **간장병** 보다 컵 **2** 개만큼 물이 더 들어갑니다.

✢ 기름병이 간장병보다 컵 10 − 8 = 2(개)만큼 물이 더 들어갑니다.

126 · Start 3-2

5 세탁 세제 통에 물을 가득 채운 후 비커에 모두 옮겨 담았습니다. 세탁 세제 통의 들이는 몇 mL인지 구해 보세요.

2 L 700 mL

✢ 1000 mL가 2개이고 700 mL가 더 있으므로 2700 mL입니다. (**2700 mL**)

6 □ 안에 알맞은 수를 써넣으세요.

(1) 7 L = **7000** mL (2) 5000 mL = **5** L

✢ 1 L = 1000 mL입니다.

(3) 2 L 300 mL = **2300** mL (4) 8 L 20 mL = **8020** mL

(3) 2 L 300 mL = 2 L + 300 mL = 2000 mL + 300 mL = 2300 mL

(4) 8 L 20 mL = 8 L + 20 mL = 8000 mL + 20 mL
= 8020 mL

7 알맞은 단위를 찾아 ○표 하세요.

(1)

우유갑의 들이는
약 200 (L , **mL**)입니다.

(2)

주전자의 들이는
약 5 (**L** , mL)입니다.

8 계산해 보세요.

(1) 4 L 500 mL + 2 L 400 mL = **6 L 900 mL**

(2) 8 L 900 mL − 5 L 200 mL = **3 L 700 mL**

✢ L는 L끼리, mL는 mL끼리 계산합니다.

5. 들이와 무게 · 127

교과서 개념 확인 문제

정답과 풀이 p.32

9 보기에서 물건을 선택하여 문장을 완성해 보세요.

보기
음료수 캔   냉장고

(1) **냉장고** 의 들이는 약 500 L입니다.

(2) **음료수 캔** 의 들이는 약 250 mL입니다.

10 들이가 같은 것끼리 선으로 이어 보세요.

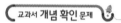

2 L 900 mL ——— 2900 mL
4 L 300 mL ——— 7050 mL
7 L 50 mL ——— 4300 mL

✢ 2 L 900 mL = 2 L + 900 mL = 2000 mL + 900 mL = 2900 mL
4 L 300 mL = 4 L + 300 mL = 4000 mL + 300 mL = 4300 mL
7 L 50 mL = 7 L + 50 mL = 7000 mL + 50 mL = 7050 mL

11 계산해 보세요.

(1)
```
    1
  2 L 700 mL
+ 5 L 600 mL
───────────
  8 L 300 mL
```

(2)
```
  6  1000
  7 L 500 mL
− 3 L 800 mL
───────────
  3 L 700 mL
```

12 잘못 나타낸 것을 찾아 기호를 써 보세요.

㉠ 3500 mL = 3 L 500 mL   ㉡ 1 L 800 mL = 1800 mL
㉢ 2 L 300 mL = 2300 mL   ㉣ 5050 mL = 50 L 50 mL

(**㉣**)

✢ ㉣ 5050 mL = 5 L 50 mL

128 · Start 3-2

13 □ 안에 알맞은 수를 써넣으세요.

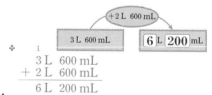

+2 L 600 mL

3 L 600 mL → **6** L **200** mL

✢
```
  1
  3 L 600 mL
+ 2 L 600 mL
───────────
  6 L 200 mL
```

14 들이를 비교하여 ○ 안에 >, =, <를 알맞게 써넣으세요.

(1) 5230 mL ⊘ 5 L

(2) 7 L 20 mL ⊙ 7200 mL

✢ (1) 5230 mL = 5000 mL + 230 mL
= 5 L 230 mL

→ 5 L 230 mL > 5 L

(2) 7200 mL = 7000 mL + 200 mL = 7 L 200 mL

→ 7 L 20 mL < 7 L 200 mL

15 들이가 가장 많은 것을 찾아 기호를 써 보세요.

㉠ 4 L 60 mL   ㉡ 4600 mL   ㉢ 4006 mL

(**㉡**)

✢ ㉠ 4 L 60 mL = 4060 mL
4600 > 4060 > 4006이므로 들이가 가장 많은 것은 ㉡입니다.

16 두 그릇의 들이의 차는 몇 L 몇 mL인지 구해 보세요.

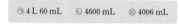

 5 L 200 mL   1 L 700 mL

(**3 L 500 mL**)

✢
```
  4  1000
  5 L 200 mL
− 1 L 700 mL
───────────
  3 L 500 mL
```

5. 들이와 무게 · 129

교과서 개념 잡기

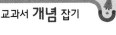

개념 5 무게 비교하기 — 토마토와 레몬의 무게 비교하기

방법1 직접 들어서 비교하기	방법2 저울로 비교하기	방법3 같은 단위로 비교하기

토마토가 더 무겁습니다.

토마토가 더 무겁습니다.

35>20이므로
토마토가 더 무겁습니다.

개념 6 무게의 단위 알아보기

무게의 단위에는 킬로그램과 그램 등이 있습니다. 1 킬로그램은 1 kg, 1 그램은 1 g 이라고 씁니다.

$$1\,kg \qquad 1\,g$$

1 킬로그램은 1000 그램과 같습니다.

$$1\,kg = 1000\,g$$

1 kg보다 300 g 더 무거운 무게를 1 kg 300 g이라 쓰고 1 킬로그램 300 그램 이라고 읽습니다. 1 kg은 1000 g과 같으므로 1 kg 300 g은 1300 g입니다.

$$1\,kg\ 300\,g = 1300\,g$$

1000 kg의 무게를 1 t이라 쓰고 1 톤이라고 읽습니다. 1 톤은 1000 킬로그램과 같습니다.

$$1\,t \qquad 1\,t = 1000\,kg$$

정답과 풀이 p.33

1 무게가 무거운 것부터 순서대로 기호를 써 보세요.

㉠ 꽃병	㉡ 안경	㉢ 탁자

(㉢, ㉠, ㉡)

✤ 탁자가 가장 무겁고 안경이 가장 가볍습니다.

2 저울과 바둑돌로 당근과 무의 무게를 비교하고 있습니다. 당근과 무 중에서 어느 것이 더 무거운지 써 보세요.

(무)

✤ 당근의 무게는 바둑돌 30개의 무게와 같고,
무의 무게는 바둑돌 50개의 무게와 같습니다.
→ 30<50이므로 무가 당근보다 더 무겁습니다.

3 주어진 무게를 쓰고 읽어 보세요.

2 kg 500 g	쓰기 **2 kg 500 g**
	읽기 (2 킬로그램 500 그램)

4 ☐ 안에 알맞은 수를 써넣으세요.

(1) 3 kg= **3000** g   (2) 1 kg 600 g= **1600** g

(3) 5200 g= **5** kg **200** g   (4) 2 t= **2000** kg

✤ 1 kg=1000 g, 1 t=1000 kg임을 이용합니다.

5 단원

교과서 개념 잡기

개념 7 무게를 어림하고 재어 보기

무게를 어림하여 말할 때는 약 ☐ kg 또는 약 ☐ g이라고 합니다.

1 kg   약 2 kg   약 5 kg   약 500 g

개념 8 무게의 덧셈과 뺄셈

· 무게의 덧셈: kg은 kg끼리 더하고, g은 g끼리 더합니다.

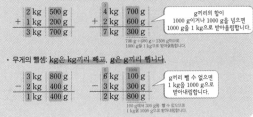

g끼리의 합이 1000 g이거나 1000 g을 넘으면 1000 g을 1 kg으로 받아올림합니다.

· 무게의 뺄셈: kg은 kg끼리 빼고, g은 g끼리 뺍니다.

g끼리 뺄 수 없으면 1 kg을 1000 g으로 받아내림합니다.

개념 Check

◈ 축구공의 무게를 바르게 어림한 다람쥐를 찾아 ○표 하세요.

약 400 g   약 400 kg

정답과 풀이 p.33

1 무게가 약 1 kg인 것에 ○표 하세요.

 →

1 kg   ( )   ( )   (○)

✤ 딸기 1개와 바나나 1개의 무게는 1 kg보다 가볍습니다.

2 ☐ 안에 kg과 g 중에서 알맞은 단위를 써넣으세요.

(1)

가지의 무게는
약 150 **g** 입니다.

(2)

파인애플의 무게는
약 2 **kg** 입니다.

3 ☐ 안에 알맞은 수를 써넣으세요.

(1)
```
   2 kg 100 g
 + 3 kg 400 g
 ────────────
   5 kg 500 g
```

(2)
```
   1  kg 300 g
 + 5  kg 900 g
 ────────────
   7  kg 200 g
```

✤ (2) 300 g+900 g=1200 g이므로 1000 g을 1 kg으로 받아올림합니다.

4 ☐ 안에 알맞은 수를 써넣으세요.

(1)
```
   4 kg 700 g
 - 1 kg 500 g
 ────────────
   3 kg 200 g
```

(2)
```
   4   1000
   5 kg 400 g
 - 2 kg 800 g
 ────────────
   2 kg 600 g
```

✤ (2) 400 g−800 g을 계산할 수 없으므로 1 kg을 1000 g으로 받아내림합니다.

5 단원

교과서 개념 play 🍇 과일의 무게 측정하기

두 바구니에 담긴 귤을 상자에 넣어 포장해 보세요.

상자에서 덜어 내고 남은 포도를 바구니에 담아 보세요.

7kg 300g + 1kg 500g = 8kg 800g

❖ kg은 kg끼리, g은 g끼리 계산합니다.

5kg 200g + 2kg 400g = 7kg 600g

3kg 160g + 1kg 300g = 4kg 460g

4kg 500g + 3kg 700g = 8kg 200g

```
   1
  4 kg   500 g
+ 3 kg   700 g
  8 kg   200 g
```

4kg 900g + 3kg 800g = 8kg 700g

```
   1
  4 kg   900 g
+ 3 kg   800 g
  8 kg   700 g
```

4kg 500g − 1kg 200g = 3kg 300g

4kg 600g − 2kg 300g = 2kg 300g

8kg 800g − 5kg 200g = 3kg 600g

7kg 200g − 4kg 600g = 2kg 600g

```
  6   1000
  7 kg   200 g
− 4 kg   600 g
  2 kg   600 g
```

5kg 450g − 2kg 750g = 2kg 700g

```
  4   1000
  5 kg   450 g
− 2 kg   750 g
  2 kg   700 g
```

134 · Start 3-2   5. 들이와 무게 · 135

집중! 드릴 문제

정답과 풀이 p.34

[1~6] ☐ 안에 알맞은 수를 써넣으세요.

1 5 kg = $\boxed{5000}$ g
❖ 1 kg = 1000 g임을 이용합니다.

2 1 kg 400 g = $\boxed{1400}$ g

3 6 kg 250 g = $\boxed{6250}$ g

4 7000 g = $\boxed{7}$ kg

5 3600 g = $\boxed{3}$ kg $\boxed{600}$ g

6 8540 g = $\boxed{8}$ kg $\boxed{540}$ g

[7~12] ☐ 안에 kg과 g 중에서 알맞은 단위를 써넣으세요.

7 농구공의 무게는 약 600 $\boxed{\text{g}}$ 입니다.

8 하마의 무게는 약 3000 $\boxed{\text{kg}}$ 입니다.

9 냉장고의 무게는 약 150 $\boxed{\text{kg}}$ 입니다.

10 운동화의 무게는 약 850 $\boxed{\text{g}}$ 입니다.

11 배추의 무게는 약 2 $\boxed{\text{kg}}$ 입니다.

12 에어컨의 무게는 약 20 $\boxed{\text{kg}}$ 입니다.

[13~17] 계산해 보세요.

13
```
  4 kg   200 g
+ 2 kg   300 g
```
6 kg 500 g

14
```
  1 kg   560 g
+ 3 kg   220 g
```
4 kg 780 g

15
```
    1
  10 kg   700 g
+  5 kg   600 g
```
16 kg 300 g

16 3 kg 600 g + 3 kg 200 g
= **6 kg 800 g**
❖
```
  3 kg   600 g
+ 3 kg   200 g
  6 kg   800 g
```

17 18 kg 500 g + 10 kg 900 g
= **29 kg 400 g**
❖
```
    1
  18 kg   500 g
+ 10 kg   900 g
  29 kg   400 g
```

[18~22] 계산해 보세요.

18
```
  3 kg   600 g
− 1 kg   400 g
```
2 kg 200 g

19
```
  7 kg   870 g
− 5 kg   250 g
```
2 kg 620 g

20
```
  7   1000
  8 kg   300 g
− 4 kg   700 g
```
3 kg 600 g

21 6 kg 800 g − 5 kg 400 g
= **1 kg 400 g**
❖
```
  6 kg   800 g
− 5 kg   400 g
  1 kg   400 g
```

22 4 kg 400 g − 1 kg 900 g
= **2 kg 500 g**
❖
```
  3   1000
  4 kg   400 g
− 1 kg   900 g
  2 kg   500 g
```

136 · Start 3-2   5. 들이와 무게 · 137

교과서 개념 확인 문제

정답과 풀이 p.35

1 무게가 무거운 것부터 순서대로 기호를 써 보세요.

(㉠, ㉢, ㉡)

2 고구마의 무게를 재었습니다. □ 안에 알맞은 수를 써넣으세요.

650 g

❖ 작은 눈금 한 칸의 크기는 10 g입니다.

[3~4] 저울과 100원짜리 동전으로 풀과 가위의 무게를 비교하고 있습니다. 물음에 답하세요.

3 풀과 가위 중에서 어느 것이 더 무거운지 써 보세요.

❖ 풀의 무게는 100원짜리 동전 13개의
무게와 같고 가위의 무게는 100원짜리
동전 18개의 무게와 같습니다. ➡ 13 < 18이므로 가위가 풀보다 더
무겁습니다.

(**가위**)

4 □ 안에 알맞은 말이나 수를 써넣으세요.

가위 이/가 **풀** 보다 100원짜리 동전 **5** 개만큼 더 무겁습니다.

❖ 가위가 풀보다 100원짜리 동전 18 − 13 = 5(개)만큼 더 무겁습니다.

138 · Start · 3-2

5 □ 안에 알맞은 수를 써넣으세요.

(1) 3 kg보다 400 g 더 무거운 무게 ➡ **3** kg **400** g

(2) 700 kg보다 300 kg 더 무거운 무게 ➡ **1** t

❖ (2) 700 kg보다 300 kg 더 무거우면 1000 kg입니다.
➡ 1000 kg = 1 t

6 알맞은 단위를 찾아 ○표 하세요.

(1)

항아리의 무게는
약 8 (g , (kg) , t)입니다.

(2)

500원짜리 동전의 무게는
약 7 ((g) , kg , t)입니다.

7 바르게 나타낸 것을 찾아 기호를 써 보세요.

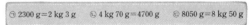
㉠ 2300 g = 2 kg 3 g   ㉡ 4 kg 70 g = 4700 g   ㉢ 8050 g = 8 kg 50 g

(㉢)

❖ ㉠ 2300 g = 2000 g + 300 g = 2 kg + 300 g = 2 kg 300 g
㉡ 4 kg 70 g = 4 kg + 70 g = 4000 g + 70 g = 4070 g

8 계산해 보세요.

(1)　　2 kg　700 g
　　+ 3 kg　200 g
　　5 kg 900 g

(2)　　7 kg　800 g
　　− 4 kg　500 g
　　3 kg 300 g

❖ kg은 kg끼리, g은 g끼리 계산합니다.

5. 들이와 무게 · 139

교과서 개념 확인 문제

정답과 풀이 p.35

9 저울의 눈금을 보고 멜론은 몇 g인지 구해 보세요.

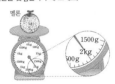

(**2000 g**)

❖ 저울의 눈금을 읽으면 2 kg입니다. ➡ 2 kg = 2000 g

10 무게가 같은 것끼리 선으로 이어 보세요.

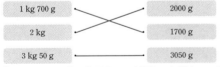

1 kg 700 g		2000 g
2 kg		1700 g
3 kg 50 g		3050 g

❖ 1 kg 700 g = 1 kg + 700 g = 1000 g + 700 g = 1700 g
2 kg = 2000 g
3 kg 50 g = 3 kg + 50 g = 3000 g + 50 g = 3050 g

11 □ 안에 알맞은 수를 써넣으세요.

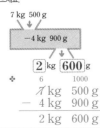

7 kg 500 g
− 4 kg 900 g
2 kg **600** g

❖
　　　6　　 1000
　　7 kg　 500 g
　− 4 kg　 900 g
　　2 kg　 600 g

140 · Start · 3-2

12 더 무거운 것을 찾아 기호를 써 보세요.

㉠ 5060 g   ㉡ 5 kg 600 g

(㉡)

❖ ㉡ 5 kg 600 g = 5600 g
➡ 5060 < 5600이므로 더 무거운 것은 ㉡입니다.

13 두 무게의 합과 차를 각각 구해 보세요.

6 kg 500 g   3 kg 800 g

합 (**10 kg 300 g**)
차 (**2 kg 700 g**)

❖ 합:　　1
　　　6 kg　 500 g
　　+ 3 kg　 800 g
　　10 kg　 300 g

❖ 차:　　5　 1000
　　　6̸ kg　 500 g
　　− 3 kg　 800 g
　　　2 kg　 700 g

14 무게가 가장 무거운 강아지에 ○표 하세요.

1 kg 300 g　　　2 kg 30 g　　　1800 g

(　　) (　○　) (　　)

❖ 1 kg 300 g = 1300 g, 2 kg 30 g = 2030 g
➡ 2030 > 1800 > 1300이므로 두 번째 강아지가 가장 무겁습니다.

15 무게가 30 kg인 상자가 100개 있습니다. 상자의 무게는 모두 몇 t인지 구해 보세요.

(**3 t**)

❖ 30 kg인 상자 100개의 무게는 3000 kg입니다.
1000 kg = 1 t이므로 3000 kg = 3 t입니다.

5. 들이와 무게 · 141

정답과 풀이 · **35**

개념 확인평가
5. 들이와 무게

맞은 개수

정답과 풀이 p.36

1 ㉮ 병과 ㉯ 병에 물을 가득 채운 후 모양과 크기가 같은 컵에 옮겨 담았습니다. 그림과 같이 물을 채웠을 때에 ㉮와 ㉯ 중 들이가 더 많은 것은 어느 것인지 써 보세요.

✤ ㉮ 병의 물은 컵으로 5개, ㉯ 병의 물은 (㉯) 컵으로 6개입니다. ➡ 5 < 6이므로 들이가 더 많은 것은 ㉯입니다.

2 □ 안에 알맞은 수를 써넣으세요.

(1) 2 L보다 340 mL 더 많은 들이 ➡ **2** L **340** mL

✤ (1) ■ L보다 ● mL 더 많은 들이
➡ ■ L ● mL

(2) 5 kg보다 860 g 더 무거운 무게 ➡ **5** kg **860** g

(2) ■ kg보다 ● g 더 무거운 무게
➡ ■ kg ● g

3 무게가 1 t보다 무거운 것을 모두 찾아 기호를 써 보세요.

㉠ 컴퓨터 모니터 1대   ㉡ 소방차 1대
㉢ 비행기 1대   ㉣ 식탁 1개

✤ 1 t = 1000 kg입니다.   (㉡, ㉢)
컴퓨터 모니터 1대, 식탁 1개는 1 t보다 가볍고 소방차 1대, 비행기 1대는 1 t보다 무겁습니다.

4 보기 에서 물건을 선택하여 문장을 완성해 보세요.

보기
전기밥솥   국그릇

(1) 국그릇 의 들이는 약 300 mL입니다.

(2) 전기밥솥 의 들이는 약 6 L입니다.

142 · Start 3-2

5 저울과 100원짜리 동전으로 양파와 가지 중에서 어느 것이 얼마나 더 무거운지 알아보세요.

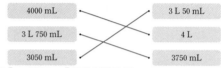
양파 가 **가지** 보다 100원짜리 동전 **8** 개만큼 더 무겁습니다.

✤ 양파는 100원짜리 동전 28개의 무게와 같고 가지는 100원짜리 동전 20개의 무게와 같습니다. ➡ 양파가 가지보다 100원짜리 동전 28 − 20 = 8(개)만큼 더 무겁습니다.

6 들이가 같은 것끼리 선으로 이어 보세요.

4000 mL		3 L 50 mL
3 L 750 mL		4 L
3050 mL		3750 mL

✤ 1 L = 1000 mL임을 이용합니다.

✤ (1) 840 mL + 500 mL = 1340 mL이므로 1000 mL를 1 L로 받아올림합니다.

7 계산해 보세요.

(1)
$$\begin{array}{r} 1 \\ 2\,L\ 840\,mL \\ +\ 1\,L\ 500\,mL \\ \hline 4\,L\ 340\,mL \end{array}$$

(2)
$$\begin{array}{r} 6\ \ 1000 \\ 7\,L\ 200\,mL \\ -\ 5\,L\ 600\,mL \\ \hline 1\,L\ 600\,mL \end{array}$$

(2) 200 mL − 600 mL를 계산할 수 없으므로 1 L를 1000 mL로 받아내림합니다.

8 계산해 보세요.

(1)
$$\begin{array}{r} 1 \\ 1\,kg\ 400\,g \\ +\ 3\,kg\ 700\,g \\ \hline 5\,kg\ 100\,g \end{array}$$

(2)
$$\begin{array}{r} 12\ \ 1000 \\ 13\,kg\ 300\,g \\ -\ 2\,kg\ 900\,g \\ \hline 10\,kg\ 400\,g \end{array}$$

✤ (1) 400 g + 700 g = 1100 g이므로 1000 g을 1 kg으로 받아올림합니다.

(2) 300 g − 900 g을 계산할 수 없으므로 1 kg을 1000 g으로 받아내림합니다.

5 단원

5. 들이와 무게 · 143

개념 확인평가
5. 들이와 무게

정답과 풀이 p.36

9 무게가 무거운 것부터 순서대로 기호를 써 보세요.

㉠ 2500 g   ㉡ 2060 g   ㉢ 2 kg 400 g

✤ ㉢ 2 kg 400 g = 2400 g   (㉠, ㉢, ㉡)
2500 > 2400 > 2060이므로 무게가 무거운 것부터 순서대로
㉠   ㉢   ㉡
기호를 쓰면 ㉠, ㉢, ㉡입니다.

10 고구마 한 상자의 무게는 5 kg 400 g이고 감자 한 상자의 무게는 2 kg 100입니다. 고구마 한 상자와 감자 한 상자는 모두 몇 kg 몇 g인지 구해 보세요.

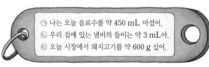
5 kg 400 g   2 kg 100 g

(7 kg 500 g)

✤ 5 kg 400 g + 2 kg 100 g = 7 kg 500 g

11 우유가 1 L 300 mL 있습니다. 그중에서 승빈이가 500 mL를 마셨다면 남은 우유는 몇 mL인지 구해 보세요.

(800 mL)

✤ 1 L 300 mL − 500 mL = 800 mL

12 수 또는 단위가 바르지 않은 문장을 찾아 기호를 쓰고 바르게 고쳐 보세요.

㉠ 나는 오늘 음료수를 약 450 mL 마셨어.
㉡ 우리 집에 있는 냄비의 들이는 약 3 mL야.
㉢ 오늘 시장에서 돼지고기를 약 600 g 샀어.

기호	바르게 고친 문장
㉡	예 우리 집에 있는 냄비의 들이는 약 3 L야.

✤ ㉡ 냄비의 들이는 1 L보다 많으므로 틀린 문장입니다.

144 · Start 3-2

[GO! 매쓰]
여기까지 5단원 내용입니다.
다음부터는 6단원 내용이
시작합니다.

교과서 개념 잡기

정답과 풀이 p.37

개념 1 표에서 알 수 있는 것

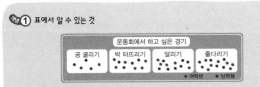

운동회에서 하고 싶은 경기

| 공 굴리기 | 박 터뜨리기 | 달리기 | 줄다리기 |

● 여학생 ● 남학생

• 조사한 자료를 표로 나타내기

운동회에서 하고 싶은 경기

경기	공 굴리기	박 터뜨리기	달리기	줄다리기	합계
학생 수(명)	5	10	12	13	40

① 가장 많은 학생이 하고 싶어 하는 경기는 줄다리기입니다. ┌→13>12>10>5
② 가장 적은 학생이 하고 싶어 하는 경기는 공 굴리기입니다. └→5명으로 가장 작습니다.

• 표를 다른 방법으로 나타내기

여학생과 남학생이 운동회에서 하고 싶은 경기

경기	공 굴리기	박 터뜨리기	달리기	줄다리기	합계
여학생 수(명)	2	6	5	7	20
남학생 수(명)	3	4	7	6	20

① 가장 많은 여학생이 하고 싶어 하는 경기는 줄다리기입니다. ┌→7>6>5>2
② 가장 많은 남학생이 하고 싶어 하는 경기는 달리기입니다. └→7>6>4>3

개념 Check

◈ 표를 보고 알 수 있는 내용을 바르게 말한 친구를 찾아 ○표 하세요.

운동회에서 청군이 얻은 점수는 모두 500점입니다.

청군이 백군보다 200점을 더 얻었습니다.

운동회에서 청군과 백군이 얻은 점수

경기	공 굴리기	박 터뜨리기	달리기	줄다리기	합계
청군 점수(점)	50	100	200	150	500
백군 점수(점)	250	200	100	150	700

146 · Start 3-2

---

1 서아네 반 학생들이 좋아하는 간식을 조사하여 표로 나타내었습니다. 물음에 답하세요.

학생들이 좋아하는 간식

간식	과일	빵	떡	과자	합계
학생 수(명)	3	9	5	7	24

(1) 과자를 좋아하는 학생은 몇 명일까요?

(**7명**)

(2) 조사한 학생은 모두 몇 명일까요?

(**24명**)

✤ 표에서 합계가 조사한 학생 수입니다.

(3) 가장 많은 학생이 좋아하는 간식은 무엇일까요?

(**빵**)

✤ 9>7>5>3이므로 가장 많은 학생이 좋아하는 간식은 빵입니다.

2 민수는 교실에 색종이가 색깔별로 몇 장 있는지 조사하여 표로 나타내었습니다. 물음에 답하세요.

색깔별 색종이 수

색깔	빨간색	노란색	초록색	파란색	합계
색종이 수(장)		25	31	14	100

(1) 빨간색 색종이는 몇 장일까요?

(**30장**)

✤ 100−25−31−14=30(장)

(2) 노란색 색종이는 파란색 색종이보다 몇 장 더 많을까요?

(**11장**)

✤ 노란색 색종이는 25장, 파란색 색종이는 14장이므로 노란색 색종이는 파란색 색종이보다 25−14=11(장) 더 많습니다.

(3) 색종이 수가 가장 많은 색깔부터 순서대로 써 보세요.

(**초록색, 빨간색, 노란색, 파란색**)

✤ 31>30>25>14이므로 색종이 수가 가장 많은 색깔부터 순서대로 쓰면 초록색, 빨간색, 노란색, 파란색입니다.

6 단원

6. 자료의 정리 · 147

교과서 개념 잡기

정답과 풀이 p.37

개념 2 자료를 수집하여 표로 나타내기

• 자료 수집하기
직접 손 들기나 붙임딱지 붙이기 등을 통하여 자료를 수집할 수 있습니다.

현장 체험 학습으로 가고 싶은 장소

| 박물관 | 미술관 | 식물원 | 과학관 |

• 자료를 표로 나타내기

현장 체험 학습으로 가고 싶은 장소

장소	박물관	미술관	식물원	과학관	합계
학생 수(명)	5	10	3	7	25

5+10+3+7=25

• 표로 나타낼 때 유의할 점
① 조사 내용에 알맞은 제목을 정합니다.
② 조사 항목의 수에 맞게 칸을 나눕니다.
③ 조사 내용에 맞게 빈칸을 채우고, 합계가 맞는지 확인합니다.

개념 Check

◈ 조사한 자료를 보고 표로 바르게 나타낸 친구를 찾아 ○표 하세요.

학생들이 좋아하는 과목

| 국어 | 수학 | 사회 | 과학 |

학생들이 좋아하는 과목

과목	국어	수학	사회	과학	합계
학생 수(명)	8	4	3	9	24

학생들이 좋아하는 과목

과목	국어	수학	사회	과학	합계
학생 수(명)	8	5	3	9	25

148 · Start 3-2

---

1 은우가 2월의 날씨를 조사하였습니다. 물음에 답하세요.

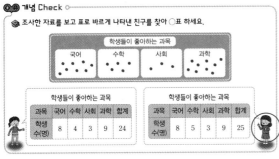

2월의 날씨

맑음 / 흐림 / 비 / 눈

(1) 은우가 조사한 것은 무엇일까요?

(예 **2월의 날씨**)

(2) 조사한 자료를 보고 표로 나타내어 보세요.

2월의 날씨별 날수

날씨	맑음	흐림	비	눈	합계
날수(일)	16	7	2	3	28

✤ 합계: 16+7+2+3=28(일)

2 3학년 1반 학생들의 혈액형을 조사하였습니다. 조사한 자료를 보고 표로 나타내어 보세요.

학생들의 혈액형

| A형 | B형 | O형 | AB형 |

학생들의 혈액형

혈액형	A형	B형	O형	AB형	합계
학생 수(명)	7	5	8	4	24

✤ 합계: 7+5+8+4=24(명)

6 단원

6. 자료의 정리 · 149

교과서 개념 play 진열하고 표로 나타내기

과일 가게에 과일을 진열하고 표로 나타낸 후 대화를 완성해 보세요.

생선 가게에 생선을 진열하고 표로 나타낸 후 대화를 완성해 보세요.

종류별 과일의 수

종류	사과	귤	딸기	멜론	합계
과일 수(개)	8	10	12	5	35

종류별 생선의 수

종류	꽁치	고등어	갈치	조기	합계
생선 수 (마리)	8	10	5	11	34

가장 많은 과일은 (예) 딸기 입니다.

(예) 사과는 멜론보다 3 개 더 (적습니다 많습니다).

(예) 가장 적은 생선은 갈치 입니다.

(예) 꽁치는 조기보다 3 마리 더 (적습니다 많습니다).

6 단원

집중! 드릴 문제

정답과 풀이 p.38

1 형우네 반 학생들이 좋아하는 놀이 기구를 조사하여 표로 나타내었습니다. 물음에 답하세요.

학생들이 좋아하는 놀이 기구

놀이 기구	바이킹	범퍼카	롤러 코스터	회전 그네	합계
학생 수(명)		9	4	5	20

(1) 바이킹을 좋아하는 학생은 몇 명일까요?
(**2명**)
❖ 20-9-4-5=2(명)

(2) 가장 많은 학생이 좋아하는 놀이 기구는 무엇일까요?
(**범퍼카**)
❖ 9>5>4>2이므로 가장 많은 학생이 좋아하는 놀이 기구는 범퍼카입니다. (3) 가장 적은 학생이 좋아하는 놀이 기구는 무엇일까요?
(**바이킹**)
❖ 2<4<5<9이므로 가장 적은 학생이 좋아하는 놀이 기구는 바이킹입니다. (4) 범퍼카를 좋아하는 학생은 바이킹을 좋아하는 학생보다 몇 명 더 많은지 구해 보세요.
(**7명**)
❖ 범퍼카: 9명, 바이킹: 2명
➔ 9-2=7(명)

2 미나네 반 학생들이 좋아하는 운동을 조사하여 남학생과 여학생으로 나누어 표로 나타내었습니다. 물음에 답하세요.

학생들이 좋아하는 운동

운동	축구	피구	농구	수영	합계
남학생 수(명)	7	2	3		13
여학생 수(명)	2	6	1	3	12

(1) 수영을 좋아하는 남학생은 몇 명일까요?
(**1명**)
❖ 13-7-2-3=1(명)

(2) 가장 많은 남학생이 좋아하는 운동은 무엇일까요?
(**축구**)
❖ 7>3>2>1이므로 가장 많은 남학생이 좋아하는 운동은 축구입니다.

(3) 가장 많은 여학생이 좋아하는 운동은 무엇일까요?
(**피구**)
❖ 6>3>2>1이므로 가장 많은 여학생이 좋아하는 운동은 피구입니다.

(4) 농구를 좋아하는 학생은 몇 명일까요?
(**4명**)
❖ (농구를 좋아하는 남학생 수)
+(농구를 좋아하는 여학생 수)
=3+1=4(명)

3 지아네 반 학생들이 좋아하는 책을 조사하였습니다. 물음에 답하세요.

좋아하는 책

소설책	위인전
만화책	역사책

(1) 조사한 자료를 보고 표로 나타내어 보세요.

학생들이 좋아하는 책

종류	소설책	위인전	만화책	역사책	합계
학생 수(명)	7	4	6	5	22

❖ 합계: 7+4+6+5=22(명)

(2) 조사한 학생은 모두 몇 명일까요?
(**22명**)

(3) 가장 많은 학생이 좋아하는 책은 무엇일까요?
(**소설책**)
❖ 7>6>5>4이므로 가장 많은 학생이 좋아하는 책은 소설책입니다.

(4) 소설책을 좋아하는 학생은 위인전을 좋아하는 학생보다 몇 명 더 많을까요?
(**3명**)
❖ 소설책: 7명, 위인전: 4명
➔ 7-4=3(명)

4 소희네 반 학생들이 태어난 계절을 조사하였습니다. 물음에 답하세요.

태어난 계절

봄(3~5월)	여름(6~8월)
가을(9~11월)	겨울(12~2월)

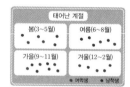
● 여학생 ● 남학생

(1) 조사한 자료를 보고 표로 나타내어 보세요.

학생들이 태어난 계절

계절	봄	여름	가을	겨울	합계
여학생 수(명)	3	2	3	4	12
남학생 수(명)	3	4	5	1	13

❖ 빨간색은 여학생, 파란색은 남학생을 나타냅니다.

(2) 가장 많은 여학생이 태어난 계절은 언제일까요?
(**겨울**)
❖ 4>3>2이므로 가장 많은 여학생이 태어난 계절은 겨울입니다.

(3) 가장 많은 남학생이 태어난 계절은 언제일까요?
(**가을**)
❖ 5>4>3>1이므로 가장 많은 남학생이 태어난 계절은 가을입니다.

(4) 조사한 학생은 모두 몇 명일까요?
(**25명**)
❖ (여학생 수)+(남학생 수)
=12+13=25(명)

6 단원

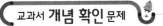 교과서 **개념 확인 문제**

정답과 풀이 p.39

[1~4] 민지네 반 학생들이 좋아하는 운동을 조사하여 나타낸 표입니다. 물음에 답하세요.

좋아하는 운동별 학생 수

운동	축구	야구	농구	피구	합계
학생 수(명)	4	9	5	7	25

1 피구를 좋아하는 학생은 몇 명일까요?

(**7명**)

✿ 피구를 좋아하는 학생은 7명입니다.

2 가장 적은 학생이 좋아하는 운동은 무엇일까요?

(**축구**)

✿ 9＞7＞5＞4이므로 가장 적은 학생이 좋아하는 운동은 축구입니다.

3 지은이가 좋아하는 운동은 무엇일까요?

내가 좋아하는 운동은 가장 많은 학생이 좋아하는 운동이야.

지은

(**야구**)

✿ 가장 많은 학생이 좋아하는 운동은 야구입니다. 따라서 지은이가 좋아하는 운동은 야구입니다.

4 좋아하는 학생이 가장 많은 운동부터 순서대로 써 보세요.

(**야구, 피구, 농구, 축구**)

✿ 9＞7＞5＞4이므로 좋아하는 학생이 가장 많은 운동부터 순서대로 쓰면 야구, 피구, 농구, 축구입니다.

154 · Start 3-2

[5~8] 동현이는 반 학생들이 좋아하는 꽃을 조사하였습니다. 물음에 답하세요.

좋아하는 꽃

장미 튤립 국화 카네이션

5 동현이가 조사한 것은 무엇일까요?

예 **반 학생들이 좋아하는 꽃**)

6 조사한 자료를 보고 표로 나타내어 보세요.

학생들이 좋아하는 꽃

종류	장미	튤립	국화	카네이션	합계
학생 수(명)	9	11	2	4	26

✿ 합계: 9＋11＋2＋4＝26(명)

7 조사한 학생은 모두 몇 명인지 구해 보세요.

(**26명**)

✿ 표에서 합계를 보면 26이므로 조사한 학생은 모두 26명입니다.

8 튤립을 좋아하는 학생은 국화를 좋아하는 학생보다 몇 명 더 많은지 구해 보세요.

(**9명**)

✿ 튤립을 좋아하는 학생은 11명, 국화를 좋아하는 학생은 2명이므로 튤립을 좋아하는 학생이 국화를 좋아하는 학생보다 11－2＝9(명) 더 많습니다.

6 단원

6. 자료의 정리 · 155

교과서 **개념 확인 문제**

정답과 풀이 p.39

[9~12] 은경이네 학교 3학년 학생들이 좋아하는 계절을 조사하여 나타낸 표입니다. 물음에 답하세요.

학생들이 좋아하는 계절

계절	봄	여름	가을	겨울	합계
남학생 수(명)	14	18		12	65
여학생 수(명)	15	20	24	11	70

9 가을을 좋아하는 남학생은 몇 명일까요?

(**21명**)

✿ 65－14－18－12＝21(명)

10 가장 많은 남학생이 좋아하는 계절은 무엇일까요?

(**가을**)

✿ 21＞18＞14＞12이므로 가장 많은 남학생이 좋아하는 계절은 가을입니다.

11 은경이네 학교 3학년 학생은 모두 몇 명일까요?

(**135명**)

✿ (3학년 학생 수)＝(남학생 수)＋(여학생 수)
＝65＋70
＝135(명)

12 여름을 좋아하는 학생은 남학생과 여학생 중 어느 쪽이 몇 명 더 많은지 구해 보세요.

(**여학생**), (**2명**)

✿ 18＜20이므로 여름을 좋아하는 학생은 여학생이 20－18＝2(명) 더 많습니다.

156 · Start 3-2

[13~15] 준형이가 방과 후 로봇 만들기 반 학생들이 좋아하는 간식을 조사하였습니다. 물음에 답하세요.

좋아하는 간식

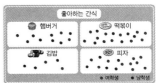
햄버거 떡볶이 김밥 피자
● 여학생 ● 남학생

13 준형이가 조사한 것은 무엇일까요?

예 **방과 후 로봇 만들기 반 학생들이 좋아하는 간식**)

14 조사한 자료를 보고 표로 나타내어 보세요.

예 **학생들이 좋아하는 간식**

간식	햄버거	떡볶이	김밥	피자	합계
여학생 수(명)	3	9	2	10	24
남학생 수(명)	7	8	3	5	23

✿ 간식 종류별로 여학생과 남학생을 구분하여 수를 세어 봅니다.

15 떡볶이를 좋아하는 남학생은 김밥을 좋아하는 여학생의 몇 배인지 구해 보세요.

(**4배**)

✿ 떡볶이를 좋아하는 남학생은 8명이고, 김밥을 좋아하는 여학생은 2명이므로 8÷2＝4(배)입니다.

6 단원

6. 자료의 정리 · 157

정답과 풀이 · **39**

교과서 개념 잡기

정답과 풀이 p.40

개념③ 그림그래프 알아보기

알려고 하는 수(조사한 수)를 그림으로 나타낸 그래프를 그림그래프라고 합니다.

도서관을 이용한 학생 수

요일	학생 수
월요일	☺☺☺☺☺☺☺ →34명
화요일	☺☺☺☺☺ →25명
수요일	☺☺☺☺☺ →50명
목요일	☺☺☺☺ →32명
금요일	☺☺☺☺☺ →41명

☺ 10명 ☺ 1명

① ☺은 10명, ☺은 1명을 나타냅니다.
② 월요일에 도서관을 이용한 학생은 ☺ 3개, ☺ 4개로 34명입니다.
③ 도서관을 가장 많이 이용한 요일은 수요일입니다. → 큰 그림의 수가 가장 많은 요일
④ 도서관을 가장 적게 이용한 요일은 화요일입니다. → 큰 그림의 수가 가장 적은 요일
➜ 그림그래프는 도서관을 이용한 학생 수를 한눈에 비교하기에 편리합니다.

그림그래프의 길이가 길다고
학생 수가 많은 것은 아니에요.

개념 Check

그림그래프를 보고 알 수 있는 점을 바르게 말한 친구를 찾아 ○표 하세요.

역사책은
6권 빌렸구나.

도서관에서 빌린 책

종류	책의 수
소설책	▭▭▭▭
역사책	▭▭▭▭▭
과학책	▭▭

소설책을 가장
많이 빌렸네.

▭ 10권 ▭ 1권

158 · Start 3-2

---

1 꽃 가게에서 하루 동안 팔린 꽃의 수를 그림그래프로 나타내었습니다. ☐ 안에 알맞은 수나 말을 써넣으세요.

하루 동안 팔린 꽃의 수

32송이 ➡ | 종류 | 꽃의 수 |
20송이 ➡ | 장미 | ✿✿✿❀❀ |
15송이 ➡ | 국화 | ✿✿❀❀ |
          | 수국 | ✿❀❀❀❀❀ |

✿ 10송이 ❀ 1송이

(1) 위와 같이 조사한 수를 그림으로 나타낸 그래프를 **그림그래프**(이)라고 합니다. ✤ 알려고 하는 수(조사한 수)를 그림으로 나타낸 그래프를 그림그래프라고 합니다.

(2) ✿은 **10** 송이, ❀은 **1** 송이를 나타냅니다.

(3) 하루 동안 장미는 **32** 송이, 국화는 **20** 송이, 수국은 **15** 송이가 팔렸습니다.
✤ 장미는 큰 그림이 3개, 작은 그림이 2개이므로 32송이, 국화는 큰 그림이 2개이므로 20송이, 수국은 큰 그림이 1개, 작은 그림이 5개이므로 15송이입니다.

2 마을별 사과 생산량을 조사하여 그림그래프로 나타내었습니다. 물음에 답하세요.

마을별 사과 생산량

마을	생산량
햇빛	🍎🍎🍎🍎
달빛	🍎🍎🍎🍎🍎🍎
별빛	🍎🍎🍎🍎🍎
은빛	🍎🍎🍎🍎🍎🍎

🍎 10상자 🍎 1상자

(1) 별빛 마을의 사과 생산량은 몇 상자일까요?
✤ 🍎은 2개, 🍎은 5개이므로 (**25상자**)
별빛 마을의 사과 생산량은 25상자입니다.

(2) 사과 생산량이 가장 많은 마을은 어디일까요?
✤ 큰 그림이 가장 많은 마을은 은빛 마을 (**은빛 마을**)
이므로 사과 생산량이 가장 많은 마을은
은빛 마을입니다.

6 단원

6. 자료의 정리 · 159

교과서 개념 잡기

정답과 풀이 p.40

개념④ 그림그래프로 나타내기

• 표를 보고 그림그래프로 나타내기

마을별 학생 수

마을	초원	푸른	고운	햇살	합계
학생 수(명)	25	37	41	29	132

➜ ① 단위를 몇 가지로 나타낼지 정하기

방법1 2개의 단위로 그리기

마을별 학생 수 ➜ ② 알맞은 제목 붙이기

마을	학생 수
초원	◎◎○○○○○
푸른	◎◎◎○○○○○○○
고운	◎◎◎◎○
햇살	◎◎○○○○○○○○○

③ 조사한 수에 맞게 그림 그리기

◎ 10명 ○ 1명

→ ④ 어떤 그림으로 나타낼지 정하기

방법2 3개의 단위로 그리기

마을별 학생 수

마을	학생 수
초원	◎◎○
푸른	◎◎◎○○○
고운	◎◎◎◎○
햇살	◎◎○○○○

◎ 10명 ○ 5명 ○ 1명

• 표와 그림그래프 비교하기

	표	그림그래프
장점	각각의 자료의 수와 합계를 쉽게 알 수 있습니다.	각각의 자료의 수와 크기를 한눈에 비교할 수 있습니다.
단점	각각의 자료를 서로 비교하기 불편합니다.	합계를 한눈에 알 수 없습니다.

160 · Start 3-2

---

1 외국 학생들이 좋아하는 한국 음식을 조사하여 표로 나타내었습니다. 물음에 답하세요.

외국 학생들이 좋아하는 한국 음식

음식	닭갈비	떡갈비	불고기	비빔밥	합계
학생 수(명)	22	31	41	13	107

(1) 표를 보고 그림그래프로 나타내려고 합니다. 그림을 몇 가지로 나타내는 것이 좋을까요?

(**예 2가지**)

(2) 표를 보고 그림그래프를 완성해 보세요.

외국 학생들이 좋아하는 한국 음식

음식	학생 수
닭갈비	◎○○
떡갈비	◎◎◎○
불고기	◎◎◎◎○
비빔밥	◎○○○

◎ 10명 ○ 1명

✤ (1) 학생 수가 두 자리 수이므로 2가지 그림으로 나타내는 것이 좋습니다.

2 연우네 학교 3학년 학생들이 기르고 싶어 하는 동물을 조사하여 표로 나타내었습니다. 표를 보고 그림그래프로 나타내어 보세요.

학생들이 기르고 싶어 하는 동물

동물	개	고양이	금붕어	거북	합계
학생 수(명)	87	75	18	50	230

학생들이 기르고 싶어 하는 동물

동물	학생 수
개	◎◎◎◎◎◎◎◎△○○
고양이	◎◎◎◎◎◎◎△
금붕어	◎△○○○
거북	◎◎◎◎◎

◎ 10명 △ 5명 ○ 1명

6 단원

6. 자료의 정리 · 161

교과서 개념 play 그림그래프로 나타내기

새벽 마트의 월별 아이스크림 판매량을 조사하여 나타낸 표입니다. 그림그래프를 완성하고 빈 곳에 알맞게 써넣으세요.

월별 아이스크림 판매량

월	6월	7월	8월	9월	합계
판매량(개)	240	430	450	330	1450

월별 아이스크림 판매량

월	판매량
6월	
7월	
8월	
9월	

🍦100개 🍦10개

내가 마트 주인이라면 내년에는 **8**월에 아이스크림을 가장 많이 준비해 놓을 것입니다. 그 이유는 **(예)** 8월의 아이스크림 판매량이 가장 많기 때문입니다.

한솔 마트의 월별 라면 판매량을 조사하여 나타낸 표입니다. 그림그래프를 완성하고 빈 곳에 알맞게 써넣으세요.

월별 라면 판매량

월	9월	10월	11월	12월	합계
판매량(개)	430	240	320	210	1200

월별 라면 판매량

월	판매량
9월	
10월	
11월	
12월	

라면 100개 라면 10개

내가 마트 주인이라면 내년에는 **12**월에 라면을 가장 적게 준비해 놓을 것입니다. 그 이유는 **(예)** 12월의 라면 판매량이 가장 적기 때문입니다.

6 단원

집중! 드릴 문제

1 민지가 친구들과 줄넘기를 한 횟수를 그림그래프로 나타내었습니다. 물음에 답하세요.

친구들과 줄넘기를 한 횟수

이름	줄넘기 횟수
민지	
수호	
은희	
영우	

👣10회 👣1회

(1) 그림 👣과 👣은 각각 몇 회를 나타내고 있을까요?
👣(**10회**)
👣(**1회**)

(2) 민지, 수호, 은희, 영우가 줄넘기를 한 횟수를 각각 써 보세요.
민지 (**41회**)
수호 (**26회**)
은희 (**32회**)
영우 (**50회**)

(3) 줄넘기를 가장 많이 한 친구의 이름을 써 보세요.
(**영우**)
✤ 그림그래프에서 10회를 나타내는 그림이 가장 많은 친구를 찾으면 영우입니다.

2 마을별 포도 생산량을 그림그래프로 나타내었습니다. 물음에 답하세요.

마을별 포도 생산량

마을	생산량
사랑	
행복	
보람	
기쁨	

📦100상자 📦10상자

(1) 그림 📦과 📦은 각각 몇 상자를 나타내고 있을까요?
📦(**100상자**)
📦(**10상자**)

(2) 포도 생산량이 가장 적은 마을은 어디이고 몇 상자일까요?
(**기쁨 마을**)
(**120상자**)
✤ 큰 그림의 수부터 비교하여, 큰 그림의 수가 같으면 작은 그림의 수를 비교합니다.

(3) 행복 마을과 보람 마을 중에서 포도 생산량이 더 많은 마을은 어디일까요?
(**보람 마을**)
✤ 행복 마을의 포도 생산량은 140상자, 보람 마을의 포도 생산량은 300상자이므로 보람 마을의 포도 생산량이 더 많습니다.

✤ 판매량이 두 자리 수이므로 그림은 십의 자리와 일의 자리를 각각 나타낼 수 있는 2가지가 좋습니다.

정답과 풀이 p.41

3 아이스크림 가게에서 하루 동안 팔린 아이스크림의 수를 조사하여 표로 나타내었습니다. 물음에 답하세요.

하루 동안 팔린 아이스크림의 수

맛	초코	딸기	바닐라	녹차	합계
판매량(개)	23	31	14	21	89

(1) 표를 보고 그림그래프로 나타낼 때 단위를 몇 가지로 나타내는 것이 좋을까요?
(**(예) 2가지**)

(2) 표를 보고 그림그래프로 나타내려고 합니다. 단위를 ◎과 ○으로 나타낸다면 각각 몇 개로 나타내야 할까요?
◎(**(예) 10개**)
○(**(예) 1개**)

(3) 표를 보고 그림그래프를 완성해 보세요.

하루 동안 팔린 아이스크림의 수

맛	판매량
초코	
딸기	
바닐라	
녹차	

◎10개 ○1개

4 초등학교별 독감 예방 접종을 한 학생 수를 조사하여 표로 나타내었습니다. 물음에 답하세요.

독감 예방 접종을 한 학생 수

학교	가람	예지	소망	하늘	합계
학생 수(명)	41	17	30	25	113

(1) 표를 보고 ◎은 10명, ○은 1명으로 하여 그림그래프로 나타내어 보세요.

독감 예방 접종을 한 학생 수

학교	학생 수
가람	
예지	
소망	
하늘	

◎10명 ○1명

(2) 표를 보고 ◎은 10명, △은 5명, ○은 1명으로 하여 그림그래프로 나타내어 보세요.

독감 예방 접종을 한 학생 수

학교	학생 수
가람	
예지	
소망	
하늘	

◎10명 △5명 ○1명

6 단원

교과서 개념 확인 문제

정답과 풀이 p.42

[1~3] 명철이네 마을의 과수원에서 일주일 동안 수확한 복숭아의 양을 조사하여 나타낸 그림그래프입니다. 물음에 답하세요.

과수원별 복숭아 수확량

과수원	수확량
가	
나	
다	
라	

🍑 100상자
🍑 10상자

1 그림 🍑과 🍑는 각각 몇 상자를 나타낼까요?

🍑(**100상자**)
🍑(**10상자**)

✿ 큰 그림은 100상자를 나타내고 작은 그림은 10상자를 나타냅니다.

2 라 과수원에서 일주일 동안 수확한 복숭아는 모두 몇 상자일까요?

(**320상자**)

✿ 라 과수원은 🍑이 3개, 🍑이 2개이므로 320상자입니다.

3 복숭아 수확량이 350상자인 과수원을 써 보세요.

(**가 과수원**)

✿ 350상자는 🍑 3개, 🍑 5개이므로 가 과수원입니다.

4 복숭아 수확량이 가장 많은 과수원은 어느 과수원일까요?

(**다 과수원**)

✿ 큰 그림이 가장 많은 것은 다 과수원입니다.

166 · Start 3-2

[5~8] 현지네 반 학생들이 도서관에서 빌린 책의 수를 그림그래프로 나타내었습니다. 물음에 답하세요.

월별 빌린 책의 수

월	책의 수
9월	
10월	
11월	
12월	

📕 10권
📗 1권

5 그림 📕과 📗은 각각 몇 권을 나타낼까요?

📕(**10권**)
📗(**1권**)

6 그림그래프를 보고 표를 완성해 보세요.

월별 빌린 책의 수

월	9월	10월	11월	12월	합계
책의 수(권)	**15**	**20**	**23**	**14**	**72**

✿ 9월: 📕 1개, 📗 5개 ➡ 15권, 10월: 📕 2개 ➡ 20권
11월: 📕 2개, 📗 3개 ➡ 23권, 12월: 📕 1개, 📗 4개 ➡ 14권

7 빌린 책의 수가 9월보다 적은 달을 써 보세요.

(**12월**)

✿ 9월에 빌린 책의 수는 15권이므로 빌린 책의 수가 15권보다 적은 달을 찾으면 12월입니다.

8 빌린 책의 수가 많은 달부터 순서대로 써 보세요.

11월, 10월, 9월, 12월)

✿ 📕과 📗의 수를 비교하면 11월, 10월, 9월, 12월의 순서로 책을 많이 빌렸습니다.

6 단원

6. 자료의 정리 · 167

교과서 개념 확인 문제

정답과 풀이 p.42

[9~12] 어느 마을의 한 달 동안 만든 공장별 의자 생산량을 조사하여 나타낸 표입니다. 물음에 답하세요.

공장별 의자 생산량

공장	가	나	다	라	합계
생산량(개)	370	250	520	460	1600

9 표를 보고 그림그래프로 나타낼 때 각 그림에 적당한 단위를 써 보세요.

○(**예 100개**)
△(**예 10개**)

✿ 의자 생산량이 몇백 몇십 개이므로 100개와 10개가 적당할 것 같습니다.

10 표를 보고 ○을 100개, △을 10개로 하여 그림그래프로 나타내려고 합니다. 가 공장의 의자 생산량은 다음 그림을 각각 몇 개씩 그려야 할까요?

○(**3개**), △(**7개**)

✿ 가 공장의 의자 생산량은 370개이므로 100개를 나타내는 그림 3개와 10개를 나타내는 그림 7개를 그려야 합니다.

11 표를 보고 그림그래프를 완성해 보세요.

공장별 의자 생산량

공장	생산량
가	○○○△△△△△△△
나	○○△△△△△
다	○○○○○△△
라	○○○○△△△△△△

○ 100개
△ 10개

✿ 가: 370개 ➡ ○ 3개, △ 7개   나: 250개 ➡ ○ 2개, △ 5개
다: 520개 ➡ ○ 5개, △ 2개   라: 460개 ➡ ○ 4개, △ 6개

12 의자 생산량이 가장 많은 공장은 어느 공장인지 써 보세요.

(**다 공장**)

✿ 520 > 460 > 370 > 250이므로 다 공장의 의자 생산량이 가장
   다   라   가   나   많습니다.

168 · Start 3-2

[13~15] 선영이네 학교 3학년 학생들이 좋아하는 과목을 조사하여 나타낸 표입니다. 물음에 답하세요.

좋아하는 과목별 학생 수

과목	국어	수학	사회	과학	합계
학생 수(명)	38	56	42	47	183

13 표를 보고 그림그래프로 나타낼 때 ◎는 10명, △는 5명, □는 1명으로 나타내려고 합니다. 그림그래프를 완성해 보세요.

좋아하는 과목별 학생 수

과목	학생 수
국어	◎◎◎△□□□
수학	◎◎◎◎◎△□
사회	◎◎◎◎□□
과학	◎◎◎◎△□□

◎ 10명 △ 5명 □ 1명

✿ 국어: 38명 ➡ ◎ 3개, △ 1개, □ 3개
수학: 56명 ➡ ◎ 5개, △ 1개, □ 1개
사회: 42명 ➡ ◎ 4개, □ 2개, 과학: 47명 ➡ ◎ 4개, △ 1개, □ 2개

14 선영이네 학교 3학년 학생들이 가장 좋아하는 과목은 무엇일까요?

(**수학**)

✿ 그림그래프에서 ◎의 수가 가장 많은 것을 찾으면 수학입니다.

15 수학을 좋아하는 학생은 과학을 좋아하는 학생보다 몇 명이 더 많은지 구해 보세요.

(**9명**)

✿ 수학을 좋아하는 학생은 56명, 과학을 좋아하는 학생은 47명이므로 수학을 좋아하는 학생이 56 − 47 = 9(명) 더 많습니다.

6 단원

6. 자료의 정리 · 169

 개념 **확인평가**   6. 자료의 정리   맞은 개수

정답과 풀이 p.43

[1~2] 유미네 학교 3학년 학생들이 좋아하는 민속놀이를 조사하여 표로 나타내었습니다. 물음에 답하세요.

학생들이 좋아하는 민속놀이

민속놀이	연날리기	제기차기	팽이치기	윷놀이	합계
학생 수(명)	33		21	45	125

1 제기차기를 좋아하는 학생은 몇 명일까요?

(**26명**)

❖ 125－33－21－45＝26(명)

2 좋아하는 학생이 가장 많은 민속놀이부터 순서대로 써 보세요.

(**윷놀이, 연날리기, 제기차기, 팽이치기**)

❖ 45＞33＞26＞21이므로 좋아하는 학생이 가장 많은 민속놀이
부터 순서대로 쓰면 윷놀이, 연날리기, 제기차기, 팽이치기입니다.

[3~4] 민우네 학교 3학년 학생들이 생일에 받고 싶은 선물을 조사하여 그림그래프로 나타내었습니다. 물음에 답하세요.

생일에 받고 싶은 선물

선물	학생 수
휴대 전화	☺ ☺ ☺ ☺ ☺ ☺ ☺ ☺
게임기	☺ ☺ ☺
인형	☺ ☺ ☺ ☺ ☺ ☺ ☺
블록	☺ ☺ ☺ ☺

☺10명
☺1명

3 가장 많은 학생이 생일에 받고 싶은 선물은 무엇이고, 몇 명이 받고 싶어하는지 써 보세요.

(**휴대 전화**).(**43명**)

4 게임기를 받고 싶은 학생과 인형을 받고 싶은 학생 수의 차는 몇 명인지 구해 보세요.

❖ 게임기: ☺ 3개 ➡ 30명,

(**14명**)

인형: ☺ 1개, ☺ 6개 ➡ 16명

170 · Start 3-2

따라서 게임기를 받고 싶어 하는 학생과 인형을 받고 싶어 하는
학생 수의 차는 30－16＝14(명)입니다.

[5~8] 지우네 반 학생들이 즐겨 보는 TV 프로그램을 조사하였습니다. 물음에 답하세요.

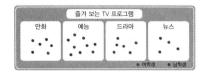

즐겨 보는 TV 프로그램

● 여학생 ● 남학생

5 조사한 자료를 보고 표를 완성해 보세요.

즐겨 보는 TV 프로그램

프로그램	만화	예능	드라마	뉴스	합계
여학생 수(명)	2	4	5	1	12
남학생 수(명)	4	5	1	3	13

6 가장 많은 남학생이 즐겨 보는 TV 프로그램은 무엇일까요?

(**예능**)

❖ 5＞4＞3＞1이므로 가장 많은 남학생이 즐겨 보는
TV 프로그램은 예능입니다.

7 가장 많은 여학생이 즐겨 보는 TV 프로그램부터 순서대로 써 보세요.

(**드라마, 예능, 만화, 뉴스**)

❖ 5＞4＞2＞1이므로 가장 많은 여학생이 즐겨 보는 TV
프로그램은 드라마, 예능, 만화, 뉴스입니다.

8 지우네 반 학생은 모두 몇 명일까요?

(**25명**)

❖ 여학생 수와 남학생 수의 합을 구합니다.
➡ 12＋13＝25(명)

6
단원

6. 자료의 정리 · 171

개념 **확인평가**   6. 자료의 정리   정답과 풀이 p.43

[9~12] 어느 분식점에서 하루 동안 팔린 음식의 수를 조사하여 표로 나타내었습니다. 물음에 답하세요.

하루 동안 팔린 음식의 수

음식	김밥	떡볶이	순대	어묵	합계
판매량(인분)	32	24	13	51	120

9 표를 보고 그림그래프로 나타내어 보세요.

하루 동안 팔린 음식의 수

음식	판매량
김밥	◎ ◎ ◎ ○ ○
떡볶이	◎ ◎ ○ ○ ○ ○
순대	◎ ○ ○ ○
어묵	◎ ◎ ◎ ◎ ◎ ○

◎10인분
○1인분

❖ 김밥: 32인분 ➡ ◎ 3개, ○ 2개, 떡볶이: 24인분 ➡ ◎ 2개, ○ 4개
순대: 13인분 ➡ ◎ 1개, ○ 3개, 어묵: 51인분 ➡ ◎ 5개, ○ 1개

10 하루 동안 가장 많이 팔린 음식부터 순서대로 써 보세요.

(**어묵, 김밥, 떡볶이, 순대**)

❖ 단위가 큰 그림이 많은 음식부터 순서대로 쓰면 어묵, 김밥, 떡볶이,
순대입니다.

11 내가 분식점 주인이라면 내일은 어떤 음식을 많이 준비하면 좋을까요?

(**예) 어묵**)

❖ 하루 동안 가장 많이 팔린 어묵을 더 많이 준비하는 것이 좋을 것
같습니다.

12 하루 동안 가장 많이 팔린 음식을 알아보려면 표와 그림그래프 중 어느 것이 더 편리할까요?

(**그림그래프**)

172 · Start 3-2

❖ 표는 조사한 자료의 수와 합계를 쉽게 알 수 있고, 그림그래프는
조사한 자료의 수와 크기를 쉽게 비교할 수 있습니다.

[GO! 매쓰]
수고하셨습니다.
앞으로 Run 교재와 Jump 교재로
교과+사고력을 잡아 보세요.

정답과 풀이 · **43**

Memo

Go!
매쓰

수학 **3**-2

정답과 풀이

Jump
유형 사고력

Run
교과서 사고력

Start
교과서 개념